COBALT-SERIES

妄想王女と清廉の騎士

それはナシです、王女様

秋杜フユ

集英社

Contents
目次

妄想王女と清廉の騎士
それはナシです、王女様

The Characters
登場人物紹介

ビオレッタ
光の巫女。その魅力の前に、誰もが目がくらみ、我を忘れてしまう……という問題を抱えている。

ティファンヌ
ヴォワール王国の末王女。着飾っても地味というか、存在感薄め。政略結婚でアレサンドリ神王国にやってきたが、その真の目的とは……!?

メラニー
ティファンヌが連れてきた侍女。ティファンヌの興奮をなだめ、ツッコむ以外にも特技がある!?

レアンドロ

護衛騎士。
真っ白な心の持ち主で、
熱烈な、光の巫女信奉者。
一生独身を貫くつもりだったが、
ティファンヌを娶ることになり……？

ヒルベルト

アレサンドリ神国に来てから
あてがわれた、
ティファンヌ専属の
護衛騎士。

ディアナ

わけあり(？)な
元メイド。
神官のベネディクトと
婚約したばかり。

イラスト／サカノ景子

妄想王女と清廉の騎士

それはナシです、王女様

第一章　二番目宣言をされてしまったので、とりあえず趣味にいそしみます。

ティファンヌの十七年の人生を振り返って一言で表すならば、幸せとは縁遠い人生だった。

この世で自分が一番不幸、などと甘ったれたことは思わない。自分より不幸な人間などいくらでもいるとティファンヌは知っている。

けれど、けっして幸福ではなかった。それだけは胸を張って言い切れる。

だから、

「私は光の巫女《みこ》様の騎士です。巫女様の盾として、剣として生きていくと決めておりましたので、一生独り身を貫《つらぬ》くつもりでした。ですから、もしもあなたと光の巫女様が危機に陥《おちい》っていた場合、私は迷わず光の巫女様を守ります」

二カ月後夫となるレアンドロに、開口一番にそう言われても、『やっぱりこういう展開か』と納得するだけだった。

厳しい冬を耐え抜いた植物たちが、春の訪れを喜んで花を咲かせる頃。

季節の移り変わりを告げる強い風に乗って花びらが舞い踊る中、ヴォワールの末王女は二カ月にもわたる長旅を終えてアレサンドリ神国王城へたどり着いた。

謁見《えっけん》の間に姿を現した王女を見て、この場に居合わせた者たちは皆、思った。

なんて地味な少女だろう、と。

一国の王女に対してふさわしくない言葉であるが、それ以外表現のしようがない。彼女は光《こう》沢《たく》が美しい薄桃色のドレスを纏《まと》い、胸元には大ぶりの花模様のレースが施《ほどこ》され慎《つつ》ましく肌を隠している。横へ広がるスカートには刺繍《ししゅう》がさしてあり、五枚のとがった花弁にちりばめられた小さな宝石たちが彼女の動きに合わせてきらめいた。くすんだはちみつ色の髪は頭上で渦《うず》を巻いており、その渦山を囲うようにティアラをつけていた。

一国の王女にふさわしい、いや、少々飾り立てすぎるようにも思えるほど、ヴォワールの王女はきらびやかな格好《かっこう》をしていた。しかし、これだけ華美な服装をしているにもかかわらず、周りが受ける王女の印象は地味の一言に尽きた。むしろ存在感が希薄、といった方がしっくりくるかもしれない。服に着られているどころか、服がひとりでに動いているかのように思えた。

「ティファンヌ・フォン・ヴォワールと申します」

王女はスカートのすそをつまんでひざを折り、頭《こうべ》を垂れる。淑女《しゅくじょ》の礼をしながら名を告げる声は、春を謡《うた》う小鳥のように耳をくすぐった。

アレサンドリ神国王の言葉を受けて王女が姿勢を正せば、前を見据えるこげ茶の瞳から知性を感じさせ、頬《ほお》にそばかすが見えるがそれさえも愛嬌《あいきょう》に思えた。華やかさは乏《とぼ》しいが、十人が十人、かわいらしいと評価するだろう、なんとも不思議な雰囲気《ふんいき》の少女だった。

アレサンドリ神国王は長旅を終えた王女をねぎらい、重臣たちの端で控えるひとりの騎士を呼ぶ。レアンドロ、と名を呼ばれた騎士は一歩前へ出て王女へ向けて紳士の礼をした。

「この者があなたと婚姻を結ぶレアンドロ・クアドラードだ。ティファンヌ王女にはしばらく城に滞在してもらい、二カ月後の結婚式まで、ゆっくりレアンドロと親交を深めてほしい」

アレサンドリ神国王の言葉に感謝を述べて、王女は謁見の間を辞していく。相変わらず服が動いているように見える気配の希薄さは気になるものの、ピンと背筋を伸ばして歩くその後ろ姿は、王族にふさわしい気品を纏っていた。


謁見の間を辞したティファンヌは、護衛を務めるという騎士の案内で、これから結婚式までの二カ月間過ごすことになる部屋へと案内された。たどり着いた扉を騎士が叩けば、ティファンヌがヴォワールから連れてきた侍女《じじょ》、メラニーが扉を開く。

　ティファンヌはここまで案内してくれた騎士に礼を言い、メラニーに促《うなが》されるまま部屋へと入る。重厚な調度品《ちょうどひん》でそろえられた落ち着いた雰囲気の居間を横切り、奥の寝室へ飛び込む。背後で扉が閉まる音を聞くなり、ティファンヌはその場に頽《くずお》れた。

「お疲れ様でございました、王女様。光の神の末裔《まつえい》と言われるアレサンドリ神国王はどのようなお方でしたか？」

　床にぐったりと横になるティファンヌを何の感情もうかがえない目で見下ろし、メラニーは起伏《きふく》の乏しい声で問いかける。それに対し、ティファンヌは床にへばりついた格好のまま「どのようなお方も何も、大変だったのよ！」と叫ぶ。

「もうね、すごかったのよ！　謁見の間から違ったの。ヴォワールみたいに相手を押しつぶすような絢爛豪華《けんらんごうか》さはなくてね、その代わり神に祈りを捧げる大聖堂みたいな神秘的な趣《おもむき》があって、玉座に座るアレサンドリ神国王を見た瞬間、思わず神様ぁ！　って叫んでひれ伏してしまいそうだったわ」

　謁見の間で見せた王女然とした淑《しと》やかさなど彼方《かなた》へ放り投げ、ティファンヌは高揚《こうよう》した心のままに声を張り上げる。一方メラニーは、主のはしたない振る舞いに苦言を呈するでもなく「我慢できたようでなによりです」とティファンヌの猫かぶりが失敗しなかったことを褒《ほ》めた。

「神国王も素敵な殿方《とのがた》だったけど、隣に控える王妃も美しかったわ！　すっと尖《とが》った顎《あご》や涼やかな目元が冷たい印象を与えるんだけど、私を見つめる眼差《まなざ》しがすっごく温かいの。それでね、王太子と第二王子もいらして、お二方とも間違いなく国王と王妃の子供ね。あまりの美しさに同じ人間かと問い詰めたくなったわ！」

「こらえたのですね、ようございました。それで、夫となるお方には会えましたか？」

ティファンヌの止まらない語りの合間を縫《ぬ》ってメラニーが淡々と問いかければ、床に伏せていたティファンヌは勢いよく身体《からだ》を起こした。

「会えたわ！　会っちゃったのよ未来の旦那様《だんなさま》に！」

「さようですか。どのような方で？」

「とんでもないお方だったわ！　ものすごい美形だったの。王族の方々もそれはそれは美しかったのだけど、種類が違うの。王族の方々が神がかった美しさなら、レアンドロ様は美術品よ！　純白の鎧《よろい》に濃紺《のうこん》の長い髪がよく映えて、黄味がかった肌は健康的だったわ。騎士にふさわしい凜々《りり》しい雰囲気なんだけど、ひとたび笑みを浮かべるととても優しいお顔になるの！」

床に座り込んだまま両手を握りしめて身体をくねらせるティファンヌを冷静に見下ろしながら、メラニーは「見目麗《みめうるわ》しい方と夫婦になれるだなんて、よかったではありませんか」と適当に相槌《あいづち》を打つ。するとティファンヌは夢から覚めたような表情で「よくないわ！」とまたも叫んだ。

「あんな美しい殿方と私のような平凡が結婚するだなんて……世界の理《ことわり》を破るようなものだわ！　美人は美人と結婚して美しい遺伝子を後世に残すべきよっ。というか、あのお方と並んのですから」

「無理だとしても結婚するしかありません。王女様はそのためにアレサンドリまでやってきたで立つなんて無理！」

メラニーの言う通り、今回、ヴォワールの末王女であるティファンヌがアレサンドリへやってきたのは、レアンドロと結婚するためだった。

ティファンヌの祖国ヴォワールは七年前に大きな政変が起こり、当時王弟だったティファンヌの父が王となった。政変直後は荒れた国も七年の月日をかけてある程度落ち着いたため、国王は外交に乗り出した。その一手が、ティファンヌの婚姻である。

もともとヴォワール側は王族との婚姻を望んでいたが、王太子であるエミディオも、王弟である ベネディクトも婚約者がおり、第二王子も十二歳と若く婚約は早いと断られたのだ。神国王の側妃にという話も出たが、すでに王太子が決定しているところへ側妃を迎えてもいらぬ災《わざわ》いを生むだけとアレサンドリ側が了承しなかった。

もともと、この婚姻でアレサンドリにうまみは全くなかった。資源に乏しいヴォワールが、国力のあるアレサンドリから支援を受けるための足掛かりとしてティファンヌを押し込もうとしているだけなのだから。

ならば臣下でもいい、とヴォワール側が食い下がった結果、『王太子エミディオの覚えもめでたい近衛《このえ》騎士』だというレアンドロとの婚姻が決まった。

「……あぁっ、どうしてあんな美しい方が私の旦那様になるの！　美しいものは遠くから眺めるからこそ価値があるのよ。隣に立ったら自分がみじめなだけじゃない！」

　ティファンヌがさめざめと嘆《なげ》いていると、来客だと廊下《ろうか》から声がかかり、メラニーが対応に向かう。来客を確認するなり早足で戻ってきたメラニーは、相変わらずの無表情で言った。

「レアンドロ様がいらっしゃいました。王女様、お支度《したく》を」

「えぇぇっ！　た、大変っ、私ったら興奮のあまり床を転がっちゃったんだけど、大丈夫かしら」

　ティファンヌが慌てて立ち上がると、メラニーはすぐさまパニエやティアラの位置を直す。最後におしろいを頬に乗せてそばかすをなるべく目立たなくさせれば完成だ。いそいそと隣の居間へ移動し、ソファの横に立って深呼吸をしてから、扉の前で待機するメラニーへ合図した。

　静かにうなずいたメラニーが扉を開けば、彫刻のような力強い美を体現するレアンドロが現れた。

「突然の訪問、申し訳ありません。騎士の務めがありまして、自由に時間が作れないのです」

「構いません。近衛騎士は王族を守るという重責を担《にな》っております。そんな中、私と会う時間を作ってくださっただけで幸せです」

「そうおっしゃっていただけると、少し心が軽くなります。改めまして、自己紹介しましょう。レアンドロ・クアドラードと申します。クアドラード伯爵家の出で、次男ですので家督を継ぐ

ということはございませんが、近衛騎士として光の巫女様の護衛を任されております」

光の巫女、というのはアレサンドリ神国において王族に並ぶ地位を持つ女性のことだ。アレサンドリを目指す道すがらアレサンドリについて学んだのだが、光の神の代行者として光の力を行使し、神と人をつなぐ存在だと記憶している。この国にとって神国王に並ぶ重要人物の護衛を任されているだなんて、王太子の覚えもめでたい近衛騎士、という話は本当だったようだ。

心中で感心しながら、ティファンヌは表面だけは落ち着き払って淑女《しゅくじょ》の礼をした。

「ティファンヌ・フォン・ヴォワールと申します。どうか私のことは、ティファァとお呼びくださいませ」

「では、ティファァ。これから妻となるあなたに、私はどうしても言わなければならないことがあります」

ティファンヌは礼の姿勢を崩して背筋を伸ばし、目の前のレアンドロを見上げる。

至近距離でも変わらず美しいレアンドロを見て、ティファンヌは自分の地味さが悲しく感じたが、せっかく夫婦になるのだから、慎ましくも幸福な家庭を築いていけたなら――などと淡い期待を持ったそのときだった。

「私は光の巫女様の騎士です。巫女様の盾として、剣として生きていくと決めておりましたので、一生独り身を貫くつもりでした。ですから、もしもあなたと光の巫女様が危機に陥《おちい》っていた場合、私は迷わず光の巫女様を守ります」

ティファンヌの雪解けの土を思わせる瞳をひたと見つめて、レアンドロははっきりと言い切ったのだった。

未来の夫からの二番目宣告から三日――

アレサンドリ神国の一日は、光の神へ祈りを捧げることから始まる。

朝の身支度《みじたく》を終えて部屋でひとり朝食をとったティファンヌは、護衛騎士の案内で城の神殿へ向かい、神国王をはじめとした王族たちと一緒に光の巫女の祝詞《のりと》に合わせて神へ祈りを捧げる。

今日のティファンヌは白地に小花がちりばめられた華やかな布地のドレスを纏《まと》い、高さを持たせた髪には羽飾りをつけている。派手な格好をしているが、しかしこの場にいる誰よりも地味だった。

「今日も陽の光を賜《たまわ》ります幸福に、深く感謝申し上げます」

光の巫女の透き通った声が大聖堂に響き渡る。ティファンヌは両手を胸の前で握りしめ、うつむいて祈りを捧げる――フリをして、前席に座る王族を覗《のぞ》き見た。

アレサンドリ王家の人々は、朝一番であっても隙《すき》なく美しい。神の末裔《まつえい》と聞いたときはそんな馬鹿なと笑ってしまったが、人外の美しさを前にしては本当かもしれないと思う。

このうちの誰かと結婚しなくてよかった。本当によかった。

太陽みたいに輝かしい美貌《びぼう》を誇る彼らの隣に立つだなんて拷問《ごうもん》だ。アレサンドリの王族を太陽とするならティファンヌは苔《こけ》。湿気と暗闇をこよなく愛する苔は太陽の光を浴びれば黄色く変色して枯れ果てるように、ティファンヌもきっといろんな意味で枯れる。

恐ろしい未来が回避されたことに感謝しながら、ティファンヌは視線を目の前の王族から祭《さい》壇《だん》へと移す。

祭壇の中央には、今代の光の巫女ビオレッタが祈りを捧げていた。彼女を視界へ入れるなり、ティファンヌは「はひゃぁぁん……」と、なんとも気の抜けるため息をこぼした。

アレサンドリ王家を目にした時も驚いたが、ビオレッタを見たときは心臓が止まるくらいの衝撃を受けた。

鎖骨《さこつ》のあたりでふわりと揺れる金の髪は太陽の光を受けて淡く輝き、快晴の空のように澄み渡った青い瞳、ティファンヌのようなそばかすなどどこにも見当たらない真っ白い肌。けれど頬《ほお》や唇にのる薄い紅が、彼女が人形ではないのだと教えてくれる。

美しい、などという言葉で表現できない。むしろ人の言葉では表しきれないほどの美貌を誇る。それがビオレッタだった。

ビオレッタは光の巫女であるだけでなく、王太子エミディオの婚約者でもある。美男美女の二人が将来の神国王と王妃だなんて素敵すぎると、ティファンヌはにやけそうになる頰を必死に引き締めた。

エミディオが王位を継ぐのは何年後だろう。エミディオは王太子として優秀だと聞いたことがあるから、そう遠くない未来に王位継承が行われるのではないだろうか。

数年後のエミディオは、きっと今よりも色気が増すはずだ。真夏の太陽のようにキラキラした雰囲気《ふんいき》が小春日和《こはるびより》の太陽のように柔らかくなって、代わりに包容力という名の大人の余裕が生まれるに違いない。彼に見惚《みと》れていた女性たちは、そのころにはきっと腰砕けになってしまうんではないだろうか。恐ろしい。

そしてそんな色気ぷんぷんのエミディオの隣に立つのは、絶世の美少女から美女へと成長したビオレッタだ。少女のあどけなさを脱ぎ捨てて、凛《りん》とした女性へと成長しているだろう。今はほとんど手を入れていない顔に化粧《けしょう》を施《ほどこ》して、果実のようにみずみずしいあの唇には紅がひかれる。王妃として立つときは凛々しく、母として子供たちを見守るときは優しく、そして妻としてエミディオの前に立つときだけは、今と変わらぬ恋する乙女《おとめ》に——

「やだなにそれかわいい！　頰染めてうるうる見上げる巫女様とかかわいすぎる！」

「そうですね、確かにかわいいと思います。ですが妄想はそのぐらいにしてください、王女様。もう朝のお祈りは終わっていますよ」

背後からかけられた言葉ではっと我に返り振り向けば、外で待機していたはずのメラニーが

かった。

確かに、大聖堂にはティファンヌとメラニーのほかに、入り口に立つ警備兵くらいしかいな

慌てて口を両手で押さえて周りを確認するティファンヌへ、メラニーは「皆さまお帰りになりました。王女様の大きな独り言は聞かれておりませんよ」と相変わらず平坦な声で告げる。

立っていた。

「王族の方々に挨拶《あいさつ》できなかったわ……失礼にあたらないかしら？」

「大丈夫ですよ。はたから見れば熱心に祈りを捧げているように見えましたから。私はまたかと思いましたけど」

声の起伏《きふく》はなくともしっかりと苦言を呈してくるメラニーに、ティファンヌは「だってぇ」と唇を尖らせた。

「あんなに見目麗《みめうるわ》しい人たちに囲まれると、いろいろと想像しちゃうんだもの。神国王夫妻の新婚時代とか、王太子夫妻の馴《な》れ初《そ》めとか」

「それは想像ではなく妄想です、王女様」

「妄想っていうと、何となく変態に聞こえない？」

「実際に変態なので問題ないかと」

「ひどいっ、私は変態ではないわ！　他人に迷惑をかけていないもの」

「他人に迷惑をかけるかかけないかで変態であるかそうでないかを判断する意味が分かりませ

ん。ですがそんなことどうでもいいので、とりあえず部屋へ戻りましょう」

　ティファンヌの主張をさらりと受け流したメラニーは、ティファンヌを置いてさっさと外へ向けて歩き出してしまう。一度も振り向かずに扉をくぐっていく背中を、ティファンヌは慌てて追いかけた。

「朝のお祈り、お疲れさまでした。随分《ずいぶん》熱心に祈っていたと、皆さまが話しておられましたよ」

　神殿から出ると、待機していた護衛騎士が声をかけてきた。待たせてしまったというのに、にこやかに迎えてくれたこの護衛騎士はヒルベルトという。アレサンドリが用意したティファンヌ専属の護衛騎士だ。

　鈍色《にびいろ》の鎧《よろい》を纏《まと》い、短くまとめたチョコレート色の髪はまま爽《さわ》やかに見える。エミディオやレアンドロと比べると見劣りしてしまうが、整った顔をしているとティファンヌは思う。

「では、お部屋へ戻りましょうか。それとも、どこかへ立ち寄りたいところなど、ありますか？　レアンドロ様とのお茶の時刻まで、まだまだ時間はありますよ」

「……そうねぇ。庭を散歩でもしようかしら」

「かしこまりました。裏庭のバラ園が見ごろだそうですよ。そちらへ案内いたしましょう」

「よろしくお願いします」

　ヒルベルトの先導に従って、ティファンヌは裏庭を目指す。神殿は城の正面に建てられているため、ティファンヌたちはいったん城へ戻った。

中庭を囲う廊下《ろうか》を歩いていた時だ。中庭を挟んで向かい側の廊下を歩くビオレッタを見つけた。淡いブルーのドレスを風になびかせながら歩く彼女の斜め後ろには、護衛騎士が立っていた。だが、レアンドロではない。

「……あの、前々から気になっていたことなのだけど、レアンドロ様はどうして巫女様のお傍にいらっしゃらないの？」

三日前、自己紹介をするなりティファンヌに『二番目宣告』をしたレアンドロは、ティファンヌが分かったと答えるなりビオレッタの警護へ戻ってしまった。

その後も、ティファンヌのもとを訪れるのは一日に一度だけ。ビオレッタが婚約者エミディオとお茶をしている間に会いに来る、という始末だった。

万が一ビオレッタが誘拐《ゆうかい》されかかったときのために、四六時中ついていなくてはならないと話していたのだが、当の本人がビオレッタの傍にいるのを見たことがないし、そもそも護衛があれほどしっかり張り付いている状態で誘拐なんて起こるのだろうか。

もしや、ビオレッタの護衛というのは嘘で、ただ単にティファンヌと会う時間を作りたくないだけ、とか？　独り身を貫くつもりだったと話していたし、十分考えられる——そう思った時だった。

「レアンドロ様は光の巫女様からいくらか離れたところで警護していらっしゃるんです。あのお方が光の巫女様の前へ姿を現すのは、巫女様が危機に陥《おちい》ったときだけ。そう王太子殿下が命じたそうです」

前を歩くヒルベルトが意図せず「ネタ」を放り投げ、ティファンヌはそれに思い切り食いついた。

王太子命令で、ビオレッタに近寄れない、だと？

それはいったい、どういうことなのだろうか。もしや！　レアンドロがビオレッタに対して特別な感情をいだいていて、それにエミディオが気づいている、ということだろうか。

つまり、三　角　関　係　!?

何それ、おいしい！　と思った次の瞬間には、ティファンヌは開いていた窓からひらりと中庭へ出ていた。桃色の花をふんだんに咲かせる低木の陰に身を隠しながら、ビオレッタとの距離を詰めていく。ある程度近寄ったところで足を止め、低木からそろりと顔を出してあたりをうかがった。

ビオレッタは廊下に展示された美術品を鑑賞していて、胸に抱く黒猫に話しかける姿がとても微笑《ほほえ》ましい。

ビオレッタから視線をずらしていくと、廊下の曲がり角から顔を出すレアンドロを見つけた。離れたところから見守っているという話は本当だったのだ。

やはり、ビオレッタをめぐる三角関係か!?　もしかしたらビオレッタとレアンドロは両想いで、そこへエミディオが横恋慕《よこれんぼ》して無理矢理婚約者にしてしまったとか!?

「王太子殿下の強引さに最初はおびえていた巫女様だけれど、次第にそのまっすぐな愛に惹《ひ》かれはじめる、てーきーな!?」

「王女様、妄想が口からこぼれています」

「自分を見つめてくれるようになった光の巫女様に喜びつつも、変わらず彼女の傍に居続けるレアンドロ様に不安を覚える王太子殿下が今回の縁談を!?」

「お邪魔虫ですね、王女様」

「くっそ！　どうして私が悪役なんだ、そこはもっと妖艶《ようえん》な美女とかでしょ！」

「ご自分でおっしゃって哀しくなりませんか」

「だってせっかく盛り上がっていたのに台無しなんだもの。想像は自分と関係ないところで勝手にやるから楽しいんでしょ」

「すがすがしいくらいに最低ですね、王女様」

興をそがれたティファンヌは妄想を中断し、改めてレアンドロを見る。そして気づいた。

ビオレッタを見つめるレアンドロの眼差《まなざ》しには、はたから見ても伝わるほどの敬愛をのせている。

しかし、愛は愛でも、『敬』愛である。そこに男女の情はない。

「どうやら、王女様の妄想は的外《まとはず》れだったようですね」

斜め後ろに控えるメラニーの目から見てもそれは明らかだったらしい。「よかったですね」と言われ、ティファンヌはメラニーから顔をそらす。

「そ、そんなことよりも！　これだけ厳重に警備されている城内で、ずっとぴったり護衛が張り付いているというのに誘拐なんて起こるのかしら？」

「その警備の目を盗んで王女様は覗《のぞ》きをしているではありませんか」

「私はいいのよ。それよりも今はレアンドロ様！　一国の王女との婚姻が認められるほどの実績を有しているお方を、こんな不必要な仕事につけていいのかしら」

茂みに身を隠しているが、ティファンヌはこれでもれっきとしたヴォワールの王女なのだ。たとえ窓を飛び越えたり足音を立てずに移動したとしても、格好だけは立派な王女である。

「光の巫女様の身を案じた王太子殿下がお付けになっただけでは？」

「だったらレアンドロ様自ら巫女様の傍につけばすむことでしょう。どうしてあんな遠いところから、わざわざ二重に警護するのかしら」

解けない問題を前に、ティファンヌとメラニーはお互いの顔を見つめたまま首を傾ける。

「ティファンヌ様いたあああぁ！」

背後から悲鳴のような声をかけられ、ティファンヌたちだけでなくビオレッタやレアンドロも声の方へと振り向いた。

とっさにティファンヌを庇《かば》ったメラニーの背中越しに見えたのは、顔色を失ったヒルベルトだった。

彼を確認した途端、ティファンヌは「あ」と声をもらす。そういえばヒルベルトに何も言わずに中庭へ飛び出してしまったんだった。彼が振り返ったときティファンヌもメラニーもいなくてさぞ肝《きも》を冷やしたことだろう。緑がかった顔色がすべてを物語っていた。

さすがに良心が痛んだティファンヌは、素直に立ち上がって駆け寄るヒルベルトを迎えた。

レアンドロたちにもばっちりばれてしまったんだろうなと思いながら、恐る恐る振り返ってみると、唖然《あぜん》と自分たちを見つめるレアンドロと、何やら鼻息が荒い護衛騎士と、そんな彼の脇に担《かつ》がれてくの字にぶら下がるビオレッタがいた。

「……って、うそ!?　メラニー！」

ビオレッタのあり得ない状況を見てとっさにティファンヌが指示を出せば、メラニーはすぐさま低木を飛び越えて護衛へ向けて駆け出し、エプロンの下から取り出した二本の棒をつなげた長い棍棒《こんぼう》でビオレッタを担ぐ護衛の胸を突いた。棍棒の細さからは想像もつかない重い一撃を受けた護衛はビオレッタを落としてよろめき、メラニーはくるりと回転しながら勢いをつけて護衛の横っ面《つら》に棍棒を振り下ろした。

地面へ叩きつけられた護衛は、ピクリとも動かない。

「ちょっ、メラニー！　まさか殺しちゃった!?」

「ご安心ください、手加減しました。これから友好を結ぼうという国の騎士を殺すほど、私は愚かではありません」

一応は気を遣ってくれたらしいメラニーにほっと胸をなでおろしたティファンヌだったが、自分が置かれていた状況を思い出して慌ててレアンドロへと顔を向ける。しかし廊下の曲がり角にレアンドロの姿はなく、すでにビオレッタのもとへ駆け付けていた。

「巫女様、お怪我《けが》はございませんか」

レアンドロはメラニーの足元で倒れたままのビオレッタへ手を差し伸べる。身を起こしたビオレッタは鼻をしきりに触っていたが、膝をついて手を差し伸べているレアンドロに気付いて彼へと振り向いた。

「ひぎゃあああぁぁっ！　かゆいかゆいかゆいいいぃぃ」

途端、ビオレッタは奇声をあげて全身をかきむしりだす。

「あぁ、私が誰だか分からないほどにおびえているのですね」

ビオレッタの豹変《ひょうへん》を、レアンドロはそう判断したらしいのだが……。

「あれって、混乱してるの？」

「レアンドロ様を拒否しているように見えます」

「だよね」とひそひそ話し合うティファンヌとメラニーと、ついでにビオレッタの言葉さえもまるっと無視してレアンドロは彼女を両腕に抱いて立ち上がる。

美男美女のお姫様抱っこ、眼福《がんぷく》！　とティファンヌが目を輝かせていると、エミディオのもとへ向かおうとしていたレアンドロが、足を止めてティファンヌを見据えた。

「後で話があります。部屋で待っていてください、ティファ」

表情こそいつもと変わらない柔らかな笑みを浮かべているが、その声は凍《い》てつきそうなほど、低い。けれどティファンヌは、ヒルベルトのようにもはや生きているのか疑わしい顔色になっておびえたりなどしない。

「お待ちしております、レアンドロ様」

絶対零《れい》度の声に呑み込まれることなく笑みを浮かべ、ティファンヌはレアンドロの背中を見送ったのだった。


レアンドロがティファンヌの部屋を訪れたのは、ティファンヌが部屋に戻ってからすぐだった。どうやら、ビオレッタをエミディオのもとへ届けてすぐにこちらへやってきたらしい。

いつかのように部屋に入るなり用件だけを言って去る、ということもなく、今回はソファに腰を落ち着けてメラニーが淹《い》れた紅茶を一口味わってから、レアンドロは口を開いた。

「どうして護衛をまいてあのようなところに身を潜めていたのです」

「ご、誤解です！　護衛をまいたわけではなく、声をかけそびれただけなんです。それに、身を潜めていたわけではなく、ただ単に光の巫女様を観察していただけです」

「観察……ですか。それはいったい、何の目的で？」

問われて、ティファンヌは戸惑った。

観察の目的？　そんなもの、いろいろと想像するために決まっている。だが、それを正直に言っていいものかどうか。ひとりで楽しんでいる分には個人の自由だが、それが他人に知られた途端、自分が変態となってしまう気がする。

答えあぐねていると、答えたくないととったのか、レアンドロは「もう、いいです」と苛立《いらだ》たし気に長い息を吐いた。

「ひとつ、ご忠告を。アレサンドリは光の神の末裔《まつえい》である王家の下に結束してはいますが、必ずしも一枚岩であるとは言い切れません。様々な思想を持つ貴族たちを王家がうまくまとめているだけで、今回の婚姻を王家が認めたことに不満を覚えている輩《やから》もいるのです」

ティファンヌは驚かなかった。ティファンヌを歓迎してもらうには、彼女の母国であるヴォワールは不穏すぎる。

七年前、ヴォワールの前国王が急逝《きゅうせい》し、年若い王太子を誰が後見するかで貴族が割れた。その混乱に乗じて、王弟であるティファンヌの父が謀反《むほん》を起こしたのである。前国王の喪《も》が明けぬうちから動き出したこともあり、現ヴォワール国王は近隣国からの信用がない。

そんな怪しい国から突然持ち込んできた婚姻話。貴族たちが反発するのも当然だった。

「アレサンドリは長い歴史を持つ国です。光の神の末裔が治めるアレサンドリこそ至上、と唱える『保守派』と呼ばれる者たちもおります。彼らにとって、あなたは邪魔者でしょう」

「アレサンドリを至上とする『保守派』の方々からすれば、他国の人間を王家に入れることは許《ゆる》しがたいことなのでしょうね。けれど私は、王家ではなく臣下であるレアンドロ様のもとへ嫁《とつ》ぎにまいりました。私を信用できないというのは理解できますが、邪魔、というのは少し違う気がします」

「いいえ、邪魔なのです。『保守派』とひとくくりに固まっておりますが、中にはアレサンドリの強大な国力にものを言わせて他国を従わせればいいと考える者たち、いわゆる『強硬派』もいるのです。彼らからすれば、ヴォワールのような小国、交渉するだけ無駄に思えるのですよ」

「つまり……婚姻を結ぶくらいなら、いっそのこと属国にしてしまえ、と？」

自分で口にしながら、ティファンヌは背筋が寒くなった。ヴォワールのような国力の乏《とぼ》しい国は、アレサンドリが本気で攻めかかってきたらひとたまりもないだろう。

ティファンヌの心境を察したのか、レアンドロはピリピリしていた雰囲気《ふんいき》をいくらかやわらげ、「ご安心ください」と言った。

「大義名分もなしに他国を攻め落とすなどという愚策《ぐさく》、我らが神王が犯すはずがありません。だからこそ、あなたを受け入れたのです」

アレサンドリに戦いの意思はないと示しているのだろうが、この言い方だと、大義名分を与えてしまえばアレサンドリがヴォワールを攻めると言っているようにも思えて、ティファンヌは安心できなかった。

「あなたがこの城に滞在している間、様々な者たちがあなたという人物を見つめるでしょう。下手《へた》な疑惑は、育《はぐく》まない方が賢明です」

話は終わりとばかりに、レアンドロは立ち上がる。ティファンヌも一緒に立ち上がると、見送りは結構ですと言ってさっさと扉へ向かって歩き出してしまった。

見送りは必要ないと言われても、礼儀《れいぎ》としてするべきだろうと思ってティファンヌは後に続いたが、レアンドロはティファンヌを振り返ることなく部屋を出て扉を閉めてしまった。

未来の夫の冷たい背中を飲み込んだ扉を見つめて、ティファンヌはこぼす。

「私、ヴォワールの間者《かんじゃ》だと疑われているみたい」

「事実ですから、致し方ありません、王女様」

身も蓋《ふた》もないメラニーの慰《なぐさ》めに、ティファンヌは「それもそうね」と答えたのだった。

今回の婚姻話を聞かされたとき、ティファンヌの父であるヴォワール国王は言った。

『アレサンドリの情報を、こちらへ流せ。城の構造、城下町の様子、重臣たちの力関係。なんでもいい。知り得たことはひとつも余さず私に知らせるのだ』

ティファンヌは父の言葉を聞きながら、またこの『力』を利用されるのか、と落胆《らくたん》した。

父に認めてほしいとずっと思っていた。父に認められないと、自分の境遇が一生変わらないことを理解していたから。

しかし、こんな風に利用されるために強くなったわけじゃない。

ましてや、父のために強くなったわけじゃない。

この力は、ティファンヌの強さは、ただひとりのために。弱かった自分に手を差し伸べてくれたリディアーヌのために手に入れたのだから。

ティファンヌが生まれたヴォワールという国は、国土のほとんどを険しい山々が占め、寒さも厳しい国だった。冬になると国のすべてが分厚い雪に覆《おお》われるため、短い夏の間に限られた平地を耕して作物を作り、蓄《たくわ》えた食料を細々と消費しながら長い冬を耐え忍ぶ。

そんな環境ゆえか、ヴォワールでは強さこそがすべて、という風潮が強かった。厳しい冬を耐え切れずに命を落とす者がいても、それはその人が弱かったせい、で片付けられるような国。それがヴォワールである。

ティファンヌの父はとくにその考えが強く、ヴォワールには強者《きょうじゃ》だけがいればいい、という過激な思想の持ち主だった。

そんな男のもとに、身体《からだ》の弱い娘——ティファンヌが生まれる。

弱さを嫌う父にとって、ティファンヌは唾棄《だき》すべきものだった。彼はティファンヌをいないものとして扱い、病《やまい》にかかっても医者も薬も用意せずに放置した。父の態度に兄姉も倣《なら》い、ことあるごとにティファンヌをいじめた。使用人たちもティファンヌの世話をして主人の怒りを買うことを恐れ、食事すらまともに与えてもらえず、ティファンヌは深夜に台所へ忍び込んで残飯を漁《あさ》っていた。

ティファンヌはそんな境遇を変えたくて必死に努力した。女であっても強くあれ——その教えに従い、剣を握ろうとしたが持ち上がらず、ならばと体術を習えばすぐに体力が底をついてしばらく動けなくなった。

強くなるための努力すらできない自分の非力さに打ちのめされたティファンヌは、父の言う通り生まれたことが間違いだったのだと思うようになった。

そんな時だ。ティファンヌの前に女神が現れた。

『強さとは、力だけを指すわけではないのです。力が弱いのであれば、別の強さを磨《みが》けばいい。あなただけの強さを見つけるのです』

そう言って、ティファンヌに薬と食事を与えてくれたのがリディアーヌだった。「強さこそがすべて」と宣《のたま》うティファンヌの父が、自分の息子の妻にと望むほどの強さに加え、賢さも併《あわ》せ持つ人で、ティファンヌの従兄《いとこ》である王太子の婚約者だった。

ティファンヌの境遇を知ったリディアーヌは、ティファンヌが生き残れるようにと、自分の侍女《じじょ》を置いて行った。それが、メラニーとの出会いである。

主の命に従い、メラニーはティファンヌの面倒を見た。温かな食事を運んできて、薬が必要であれば買いに走った。メラニーのおかげで体調を崩すことが減ったティファンヌは、自分だけの強さを探し始める。

そうして身に付けた強さは、身を隠すことだった。

力が弱いティファンヌは戦いに向かない。であれば、戦わなくてすむよう、身を隠せばいい。前々から使用人たちに見つからないよう台所から食糧を盗んでいたし、兄や姉を見かけたらすぐに身を隠してやり過ごしていた。気配を消すこと、隠れる場所を瞬時に見つけること、などの能力に磨きをかけていたら、誰にも見つからずに国王である伯父《おじ》に会うことができるまでになっていた。

力だけに頼らない新しい強さを身に付けたティファンヌを、さすがの父も認めた。やっと自分にも人並みの幸せを望む権利を与えられた――そう、思っていたのに。

まさかその強さが、リディアーヌを殺すことになるとは思いもしなかった。

ビオレッタ誘拐未遂《ゆうかいみすい》事件――否、護衛騎士によるビオレッタ誘拐未遂事件から数日が経った。

あれからティファンヌの部屋の前には護衛騎士のヒルベルトのほかに数人の兵士も加わった。部屋の前だけでなく周りを警邏《けいら》する兵士まで配備されている。物々しい警備がティファンヌに対する信用度を表していた。

「私って、本当に歓迎されていないのね」

窓の外、例の事件が起こった中庭を歩く兵士を見つめながら、ティファンヌはぼやく。向こうとしては窓から逃げ出さないかと警戒しているのだろうが、いくら何でも、三階の高さから飛び降りたりなんてしない。

ティファンヌは身を隠すことにおいては他の追随《ついずい》を許さないが、それ以外の能力は底辺なのだ。この城を一日で踏破する体力すら持ち合わせていないと胸を張って言える。

「王女様がどうこうというより、ヴォワールが嫌われているのでしょうね。まぁ、七年前に謀反を起こして実の兄を殺すことで王となった者が治める国なんて、誰も信用しませんよね」

「だったら断ってくれた方が気が楽だったのに」

「そのあたりは、国同士の駆け引きがあるのでしょう」

ほかに説明しようがないとティファンヌ自身分かっているので何も言わないが、説得力はなかった。この結婚でアレサンドリ側にうまみはない。強《し》いて言うなら、不安因子であるヴォワールがおかしな動きをしないか監視するための渡しくらいだろうか。

「……ま、いいや。分からないことをぐるぐる考えたところで進展なんてないわ。そういう時は、自分で調べるのが一番よ」

「ですが、ぞろぞろと人を連れて歩くことになりますよ?」

もう二度とティファンヌに勝手な行動をさせないようにと、どこかへ移動するときは前後を騎士に挟まれて歩かなくてはならない。なんだか引っ立てられる罪人みたいで気分が悪く、ここ最近はほとんど部屋から出ていない。

「レアンドロ様とのお茶の時刻まで、まだまだ時間があるしなぁ」

あの事件の後も、レアンドロとのお茶会は変わらず続いている。彼が説明するには、ビオレッタをエミディオに預けられる間だけがレアンドロの自由時間なのだそうだ。

「護衛が誘拐犯になるなんて……そりゃ片時も離れられないわ」

ビオレッタ誘拐を未然に防いだティファンヌに対して、レアンドロは最低限の礼節として事情を説明した。それによると、光の巫女ビオレッタの美しさは見る者の理性を壊すほどで、それは護衛騎士相手にも適応されるらしい。日々厳しい訓練を耐え抜き強靭《きょうじん》な肉体と精神を持っているはずの護衛騎士が、三日も続けてビオレッタの傍に侍《はべ》ればたちまち誘拐犯に早変わりしてしまうのだから、彼らをまとめる立場のレアンドロとしては気が気ではないだろう。

「レアンドロ様自ら護衛に立とうにも、巫女様はレアンドロ様を苦手に思っているようですし、今の状況が最善なのでしょうね」

「……それにしても、どうしてレアンドロ様は誘拐犯にならないのかしら。ビオレッタ様を四六時中見つめているのよ。その美しさに心奪われて独占欲が芽生《めば》えたりしないのかしら」

「それもそうですね」

ティファンヌとメラニーは顔を見合わせ、そのあとお互いにそっぽを向いて考え始める。

騎士の理性さえも壊すビオレッタの魅力はすさまじいが、例えばレアンドロくらい距離をとればまだ冷静でいられるのかもしれない。または、レアンドロが敬虔《けいけん》な光の神の信者で、ビオレッタを聖女と崇《あが》めるあまりよこしまな考えに結びつかない、とか。

「レアンドロ様は光の巫女様に対して魅力を感じられない……というのはどうでしょう?」

メラニーの出した仮説を、ティファンヌは「まさかぁ」と否定した。

「あれだけの美貌《びぼう》を前に心を動かされないなんて、美的感覚がずれているとしか……」

「ですから、ずれているのです。いいですか、王女様。世の中には醜《みにく》い顔を好む人もいるのです。好みというのは千差万別。すらりと背の高い女性を好む者もいれば、豊満な体つきの女性が好きだという者もいます。それに、必ず異性が好きとも限らないのですよ。同性が好きだとおっしゃる方も中には――」

「同性?」と、ティファンヌが反応する。

例えばもし、レアンドロが同性を好む男だったとしたら、ビオレッタになびかないのも十分理解できる。それだけでなく、エミディオとビオレッタがお茶をするときにティファンヌのもとへやってくる理由も説明できる。

　つまり、レアンドロが恋する相手はビオレッタではなくエミディオ！

　エミディオに対して許されざる愛を抱き、エミディオのために、彼の愛するビオレッタを守ると心に決めている。しかし、二人が仲睦《なかむつ》まじく過ごす様子を見るのは耐えられず、レアンドロは逃げるようにエミディオが勧めた婚約者のもとへ通う。

「うん、イケる！　ありだ!!」

「いいえ、なしです。王女様」

　いつの間にか想像が口からもれていたらしい。慌てて口を両手でふさぐティファンヌへ、メラニーはこれ見よがしにため息をこぼした。

「言い出したのは私ですが、そんな妄想はなさらないでください」

「いまさら遅いわ。もう決めた！　王太子殿下とレアンドロ様が一緒にいるところを見に行きましょう」

「そうおっしゃられましても……兵士をぞろぞろ連れて覗《のぞ》きは難しいのでは？」

「うん。だから、こっそり脱走しようと思う」

　脱走と聞いて、メラニーの瞳がきらりと光る。

「言い出したからには、何か策があるのでしょう？」

「もちろん。この部屋に案内されたときから、わずかだけど風を感じるのよね」

メラニーはこころえたとばかりに、部屋中の窓や扉を閉めて回った。メラニーが戻ってきたところで、ティファンヌは部屋の中心に置いた椅子《いす》に座り、目を閉じて集中する。わずかな空気の揺らぎさえも見逃さぬよう、神経を研《と》ぎ澄ましていく。

そして感じる。閉め切った部屋にそよぐ、ささやかな空気の流れを。

「――見つけた」

目を開いたティファンヌは、すぐさま立ち上がって歩き出す。立ち止まったのは建てつけの本棚《はんだな》だった。足元から天井まで、びっしりと本が詰まっている。

「本を抜き取って調べますか？」

「そんな面倒なことは必要ないわ。仕掛けを動かすスイッチは別のところにあるはずよ」

例えばもし、この本の奥に仕掛けが隠してあったとして、もし客がその仕掛けを隠している本を抜き取ってしまったら？　限りなく装飾品に近い古典ばかりが並んでいるが、世の中にはそういうものを好む人もいる。だから、本棚の奥にスイッチはない。

ティファンヌは数歩下がり、本棚の周りをよくよく観察する。本棚の左右に燭台《しょくだい》がひとつずつ。右側には窓、左側には大きな鏡とさらにその向こうに暖炉《だんろ》がある。

ティファンヌは左右の燭台を見つめる。壁に取り付けられた優雅な彫りが施《ほどこ》されたフックに、ダイヤ型のランタンがぶら下がる形の燭台だった。二つの燭台のうち右側だけ注がれる油の量が少なく、ティファンヌはそれがずっと気になっていた。

右側の燭台に近づいたティファンヌは、燭台をぶら下げるフックをつかみ、思い切り引っ張ってみた。するとフックは根元から動いて何か歯車がはまるような音が響いた。

続いて本棚の前に戻り、軽く両手で押してみる。本がぎっしり詰まった建てつけの本棚は、回転扉のようにくるりと動いた。

その向こうに広がるのは、武骨《ぶこつ》な岩で囲まれた通路。

「……王女様」

「大丈夫よ。誰にも見つからずに戻ってくればいいんだから。それじゃあ、行きましょう。レアンドロ様と王太子殿下を覗きに、ね！」

意気揚々《ようよう》と宣言して、ティファンヌはアレサンドリ王城の秘密通路へと足を踏み入れたのだった。

アレサンドリ神国王城の秘密通路には当然のことながら明かりはなく、むき出しの岩壁には火を灯すための松明《たいまつ》すら掲げていなかった。仕方なく部屋から燭台を持ってきてみたのだが、そこでおかしなことが起こった。

「火は灯っているのに……どうしてこんなに暗いの？」

ティファンヌの問いに、メラニーは首を横に振るだけだった。

メラニーが手に持つ燭台は、三又《みつまた》の先にろうそくが三本立てられたもので、通路の奥深くまでは無理だとしても、視線の先を照らすには十分な明るさだった。しかし、ひとたび通路に入ると、三本のろうそくに火が灯っているにもかかわらず光が弱まり、自分たちの足元すら心もとない光しか得られなかった。

ひとつで無理なら二つにしようとティファンヌも燭台を持ってきたのだが、結果は変わらず、あたりを照らす光は依然弱いままだった。

「まるで、通路の闇が光を食べてしまったみたいね」

ティファンヌが思わずそうつぶやいたときだ。松明すら掲げられていない岩壁に、ポツリポツリと光の粒が浮かび上がった。人の顔の大きさほどの光の粒が、左右の壁に等間隔で並んでいる。

ティファンヌとメラニーは口をぽかんと開きながらあたりを見渡した。

「不思議です。まさに魔法ですね」

「魔法なんて実在するはずがないでしょう。おとぎ話の世界じゃあるまいし」

ティファンヌが笑って頭を振ると、メラニーは不満げに眉《まゆ》を寄せた。メラニーが無表情を崩すのを、ティファンヌは久しぶりに見る。

「ですが、アレサンドリには魔術師がいます」

「魔術師と言っても、やっていることは薬の調合だと聞いているわ。あぁ、でも……確か闇の精霊を信じているのよね。なるほど……もしかしたら、闇の精霊が関係あるのかも」

「闇の精霊なんて、信じていらっしゃらないくせに」

「ばれたか」とティファンヌは舌を見せて笑った。

アレサンドリ神国は王族の祖先である光の神を崇《あが》めている。光をこよなく愛する国の中で、魔術師は闇の精霊を尊《とうと》んだ。普通ならそこで魔術師たちが爪《つま》はじきにされそうなものだが、彼らは優秀な薬師《くすし》でもあったため、国民には受け入れられていたらしい。

闇の精霊を信じていると言っても、光の神を冒瀆《ぼうとく》したり、光の神の信者に対して危害を加えたりすることもなかったようだし、必要以上に関わってこなければとりあえず静観しておこう、ということなのだと思う。

「神の末裔《まつえい》の王に、精霊かぁ。アレサンドリの人たちって、とてもおっとりしていると思わない？　そんないるのかいないのかも分からないものを信じて生きるだなんて」

ヴォワールにも当然宗教はあり、ティファンヌも毎日祈りを捧げてきた。だが、ヴォワールとは強さがものを言う国。どれだけ神に祈ろうと、自分自身が強くならない限り虐《しいた》げられる。強さには当然家柄も含まれていたが、家名を名乗るにふさわしい強さを見せられなければ、たとえ長子であっても家督を継げないような国だった。

信じるべきは神ではない。己の強さ。それがティファンヌとメラニーが生きてきた世界。

ティファンヌは前を見る。光の粒は通路のずっとずっと奥まで並んでおり、まるでティファンヌが進むべき道を示しているかのようだった。

「光の示す通りに進んでみましょう。光の神の思《おぼ》し召《め》すまま、というやつよ」

揶揄《やゆ》するようなティファンヌの物言いを聞いて、メラニーはわずかに目を細めた。きっと彼女も自分と同じことを考えたのだろう。

どれだけ必死に祈ったところで、神様は願いを叶えてはくれない、と。


燭台の灯さえも吸い込む闇に包まれた通路を照らす光の粒は、とある扉の前まで続いていた。ここにたどり着くまでいくつか分かれ道を通ったが、光の粒が進むべき道を示していたため迷う心配などなかった。

ティファンヌは扉に耳をつけ、外の様子をうかがう。扉の向こう側から物音は聞こえない。外に誰もいないと考えるか、それとも音を拾えないほど扉が頑丈なのか、判断に迷う。

「……まぁ、いいわ。神様の意思に添うと決めたのだから、最後まで身を任せましょう」

ティファンヌは入り口と同じ回転式の扉を、慎重に開いて顔を覗かせる。素早くあたりを見渡してみると、目一杯本が敷き詰められた本棚に囲まれていた。

「ここは……城の、書庫？」

周りに気配がないことを確認してから、ティファンヌはすべるように扉から出て細い通路を歩く。

二階建ての吹き抜けとなっているその部屋は、壁一面が本棚で埋まっていた。採光のための窓が本棚の上部に細く開けてあり、本を探すのには困らない程度の淡い光が差し込んでいる。一階には背の高い本棚が並んで細い通路を作っており、ティファンヌが姿を現したのは一番奥の通路だったらしい。

通路の終点までやってくると、ティファンヌは壁代わりの本棚にへばりつきながら慎重に顔を出す。出てきた場所が書庫の隅なのでいまいち見通しが悪いが、遠くに本来の出入り口と思われる立派な両開きの扉が見えた。

扉の周りは吹き抜けとなっておらず、本棚の代わりに本をゆっくり読むためのソファやテーブルが並べてあった。壁のひとつをガラス張りにして暖かな光が降り注いでいて、ここから見る限り、本を読む人影は見当たらない。

「大丈夫ですよ。この部屋は今、私のひきこもり部屋になっているので誰もいません」

「なるほど。それは安心ね……って、えふぐぅ！」

後ろを振り返ったティファンヌは、メラニーの背後に立つビオレッタを見て叫び声をあげそうになり、メラニーの両手が阻止《そし》した。

口をふさぐメラニーと見つめ合い、ティファンヌは小刻みにうなずく。メラニーの手が離れるなりティファンヌは一度深呼吸をして、ニコニコ顔で見つめるビオレッタと向き合った。

「初めまして、ティファンヌさん。私、ビオレッタ・ルビーニです」

「初めまして。ティファンヌ・フォン・ヴォワールと申します。あの、光の巫女様。いったい……いつからそこに？」

「この部屋には、さっきからずっといたんです。王都の教会へ向かう日が近づいてきたから、当日に向けて薄暗い部屋にひきこもっておこうと思って。あれです、ひきこもり貯めです」

絶世の美少女ビオレッタの口から、「ひきこもり貯め」などという不可解な言葉が飛び出し、ティファンヌは「は、はぁ……」としか答えられない。

「そうしたら、精霊たちがティファンヌさんをここへ案内するって言いだして。出迎えようと思っていたんですけど、いったいどこから出てくるのか分からなくてうろうろしているうちにティファンヌさんを見つけたんです」

ことの経緯を説明しながら、肩に黒猫をのせるビオレッタは緩《ゆる》い笑顔を浮かべて両手をティファンヌへ掲げた。

「あの……巫女様？」

まるで暖炉《だんろ》の火で両手を温めているかのような仕草にティファンヌが戸惑っていると、それに気づいたビオレッタが慌てて両手をひっこめた。

「ごめんなさい。ティファンヌさんの周りには程よい数の光の精霊が集まっていて、春の日差しみたいだったから、つい……」

「精霊とは……魔術師が信じているという？」

「魔術師が使役《しえき》するのは闇の精霊です。ティファンヌさんの周りを飛び交っているのは、光の精霊。どちらも同じ精霊だけど、その名のとおり光の精霊は光を、闇の精霊は闇を好みます」

「光を好む光の精霊が、なぜ私の周りに？」

「精霊はどこにでもいるんです。今だって部屋中を好きに漂っている。彼らはとても気まぐれで、居心地のいい場所や人の周りに集まります。光の精霊はティファンヌさんを気に入っているんだと思います」

にわかには信じられない話だった。光を好む精霊がなぜ自分なんかを気に入るのだろう。まだ闇の精霊に好かれている方がしっくりくる。

ティファンヌの疑問は顔に出ていたのだろう。目が合ったビオレッタは眉を下げて笑い、肩をすくませた。

「ごめんなさい。私にも分からないの。でも、ティファンヌさんの傍は少し休憩するのに気持ちがいいんだと思う。だって、エミディオ様のように目がつぶれそうなまぶしさじゃないんですもの」

「目が、つぶれる……？」

聞き間違いだろうか。エミディオと言えばビオレッタの婚約者のはずだ。婚約者――つまりは近い将来に夫となる相手のことを目がつぶれるなどと――。

「エミディオ様と違って、ティファンヌさんは目に優しい明るさで落ち着きますね」

言っていた！

もしや、ビオレッタはエミディオのことを好ましく思っていないのだろうか。ということはやはり、ビオレッタの恋のお相手はレアンドロで、横恋慕《よこれんぼ》したエミディオが無理やり婚約話を進めてしまったとか!?

「本当はもっと早くティファンヌさんとお近づきになりたかったんですけど、そうなるとレアンドロさんと顔を合わせなくてはならないし……」

そう言って、ビオレッタはずぅっとかざしたままだった両手を下ろして腕を組み、難しい表情でうなった。その様子はどう見ても好きな相手のことを話している風ではない。

「あの、光の巫女様。もしや、レアンドロ様のことをあまり好ましく思っていらっしゃらないのですか？」

ティファンヌへと視線を戻したビオレッタは、両手と首をせわしなく左右に振り回し、「ごめんなさい、違う違う！」と否定した。

「レアンドロさんのことはちゃんと信頼しています。レアンドロさんは魔術師である私も含めてきちんと認めてくれていると分かっているんです。でも……やっぱりどうしてもあの視線には耐えられなくて……」

「視線？」

「レアンドロさんは、光の巫女の熱心な信奉者なんです。私のことを、それこそ女神のように崇《あが》め奉《たてまつ》ってくれるのですが、それが、その、心苦しくて……。あの畏敬《いけい》の念がこもった眼差《まなざ》しを真正面から受けると、申し訳なさから身体《からだ》がむずむずしてくるんです」

思い出しただけでもむずむずするのか、ビオレッタは首筋をポリポリとかき始めた。そういえば以前、レアンドロを見たビオレッタが全身をかきむしっていたなと思い出したティファンヌは、あれがたまたまではなくレアンドロと顔を合わせるたびに起こるのであれば、そりゃあ護衛として傍に置くのは無理だろうなと納得した。

「アレサンドリへ来たばかりの私から見ても、光の巫女様は立派に務めをはたしていると思います。申し訳ないなんて思う必要はないはずです」

ほんの少しレアンドロを不憫《ふびん》に思ったティファンヌは、現状改善のためにビオレッタを励《はげ》ましてみたのだが、彼女は喜ぶどころか困ったように笑った。

「私、ついこの間まで自分の部屋から出られないダメ人間だったんです。光の巫女に選ばれなければ、今でもひきこもっていたと思います。光の巫女なのに暗闇が好きで、人前に出るのもままならない。半人前にすらなれない落ちこぼれなんです」

うつむいて力無く笑うビオレッタへ、ティファンヌはかける言葉を持ち合わせていなかった。

ティファンヌの様子に気付いたビオレッタは、慌てて顔を上げる。

「ご、ごめんなさい！　レアンドロさんは何も悪くないですから、何の心配もいりませんよ。裏表がなくまっさらな心を持っていると精霊たちも言っていました！　とってもいい人ですよ！」

　レアンドロとの結婚を控えるティファンヌを不安にさせてしまったと思ったのだろう。ビオレッタは必死にレアンドロの擁護《ようご》を始めた。

「巫女様、そろそろ神殿へ向かうお時間です」

　噂《うわさ》をすれば——というべきか。ノックの音の後に、廊下《ろうか》からレアンドロの声が届いた。ティファンヌとビオレッタは身体をこわばらせた後、「すぐ行きます！」とビオレッタが返事をした。

「もう少しティファンヌさんとお話ししたかったのに……時間切れですね」

　ビオレッタはティファンヌへと両手をかざし、「はぁん……」と悩まし気なため息をこぼした。

「あの……光の巫女様？」

　なんだか遠くの世界へ旅だってしまっているビオレッタへティファンヌがおずおずと声をかけると、彼女ははっと我に返る。

「ご、ごめんなさい。ティファンヌさんは本当にちょうどよい数の精霊を連れているんですよ。あぁ～、ずっと傍にいてほしいなぁ。せめて私が王都で祝福を授けるときに連れて行っちゃダメかなぁ」

　ティファンヌへ両手をかざしたまま、ビオレッタは何やら悩み始める。すると、ずっとビオレッタの肩にのっていた黒猫が「ぶにゃっ！」とひと声鳴いてビオレッタの頬《ほお》に肉球を押し付けた。

「ぎゃっ、そ、そうだった……レアンドロさんに呼ばれていたんだった」

時を計ったかのように、扉から「巫女様？」と声がかかる。もたもたしていると、心配したレアンドロが中へ入ってきてしまうだろう。ティファンヌとしては、それは避けたい。

「あの、巫女様、私はまだしばらくこの城に滞在しますから、またお会いすることはできるかと思います。それに巫女様が望まれるのでしたら、王都へもご一緒しましょう。ですから、ご安心ください」

「ほ、本当ですか!?」

ビオレッタは満面の笑みを浮かべた。花開くような笑顔とは、こういうのを言うんだな、とティファンヌは密かに思う。

「ティファンヌさんも一緒に来てくれるなんて、心強いです！　よし、やる気出た。私頑張る！」

ビオレッタは両手をぐっと握りしめて自分を鼓舞する。肩にのる黒猫は、そんな彼女へ「分かったから早くしろ」とばかりにまた肉球を頬へ押し付けていた。

「私が出て行ったあと、ティファンヌさんは少し待ってから廊下へ出てください。そうすれば、レアンドロさんに見つからないと思います」

レアンドロに見つかりたくないというティファンヌの事情をきちんと理解しているビオレッタに、ティファンヌは情けないような申し訳ないような気持ちになった。

「あ、あと、秘密の通路はもう使えません。あれは精霊たちが管理する道だから、下手《へた》に踏み入れれば二度と出られなくなります。今回は私に事情を説明させるために、特別に通ることができたんです」

ビオレッタの話によると、あの道は精霊が認めた人間しか通り抜けることができないらしい。ティファンヌは素直に光が示す道を歩いたが、もしも別の道を選んでいたなら二度と外へ出ることはかなわなかったそうだ。そんな馬鹿なと笑い飛ばしたい話だが、燭台《しょくだい》の灯が闇に覆《おお》われるのを見てしまったあとでは信じるしかない。

「それじゃあ、もう行きますね」

ビオレッタはティファンヌへと手を振ってから、扉へ向けて走り出す。しかし、書庫の中央あたりまで来たところで「あ」と声をもらして振り返った。

「ティファンヌさん。精霊たちが、覗《のぞ》きもほどほどに、と言ってました」

手を振り返しながらビオレッタを見送っていたティファンヌは、笑顔のままぴしりと固まる。そんな彼女に気付いていないのかあえて無視しているのか、ビオレッタはさっさと背を向けて書庫を出て行った。

扉の閉まる音が、高い天井を何度も反響する。

「どうしましょう、メラニー。光の巫女様に覗きがばれてしまったわ」

「これで正真正銘《しょうしんしょうめい》の変態ですね、王女様。おめでとうございます」

全くもっておめでたくなかったので、ティファンヌは無言のままうなだれたのだった。


ビオレッタの指示通り、ティファンヌは時間をおいてから廊下の様子をうかがってみた。音を立てないよう慎重に扉を開け、隙間《すきま》から覗き廊下に人影がないかを確認する。誰もいなかったので、ティファンヌは無事書庫から脱出した。

「さて、と。レアンドロ様と王太子殿下が一緒のところを観察しに――」

「ティファンヌ様いたああああああぁっ！」

足取りも軽く観察対象を探そうとしていたティファンヌを、悲痛すぎる声が呼び止める。声の主を振り返ると、青黒い顔色をしたヒルベルトがこちらへと駆けていた。

「あら、ヒルベルト。そんなに慌ててどうしたの？」

「どうしたの、じゃありませんよ！　勝手に部屋からいなくならないでくださいよ！　というか、どうやって部屋から出たんですか？」

ティファンヌはにっこり笑って「ヒ・ミ・ツ」と答えた。反省の色の見えない態度に、ヒルベルトは頭を両手で抱えた。

「お願いします。勝手にいなくならないでくださいよ、後生《ごしょう》ですから！」

「そう言われても、ずっと閉じこもっていると気が滅入《めい》るし……」

「だったら堂々と表から出て行ってくださいよ！　今回のことがレアンドロ様にばれたら……俺の首が飛ぶんです！」

ヒルベルトは首元で手を振って待ち受ける悲惨《ひさん》な末路を表現して見せる。その鬼気迫る表情がなんともかわいそうだった。

「別に、表から出てもいいのだけど……ぞろぞろと連れ歩いていると、趣味の覗きができないでしょう？」

「は……のぞ、き？」

一国の王女から『覗き』などという単語が出てくると思わなかったのだろう。ヒルベルトは戸惑いを見せていたが、もうすでにビオレッタに趣味がばれてしまったティファンヌは開き直っていたため気にしない。

「私はいろんなものを観察して想像を膨《ふく》らませることを何よりの生きがいとしているの。だから、大人数で動きたくないのよ」

「わあぁぁっ！　やっぱり覗きってその覗きなんですね！」

「うるさいわねぇ、いちいち叫ばないでくれる？　それよりも、護衛の数は減らしてくれるのかしら？　正直、あなたひとりくらいしか連れていきたくないのよ。だってばれちゃうでしよ」

「ちょちょ、待って、待ってください！　一国の王女様が覗きって、それで想像って、つまりは妄想!?　他人の国に来てまで何してるの!?」

「趣味にいそしんでいるだけですが、何か？」

「開き直ってるよ、もうヤダこの人」

とうとうヒルベルトはその場にうずくまってしまった。四《よ》つん這《ば》いになったヒルベルトのつむじを見下ろしながら、ティファンヌは「で、どうするの？」と答えを迫る。

「…………わ、分かりました」

長い沈黙の末、ヒルベルトは立ち上がる。

「勝手に部屋を抜け出されるくらいなら、護衛の数を減らすよう交渉します。その代わり！　絶対に俺を連れていくこと！　この間みたいに置いて行かないでくださいね」

「それは……約束しかねるわね。だって、素敵観察対象を見つけたらそれに集中しちゃうもの」

「中庭で光の巫女様を見つけたときがまさにその状態です」

「突然いなくなったと思ったら、光の巫女様を覗きに行ったんですか!?」

「いいえ、王女様は光の巫女様ではなく、遠くから護衛するレアンドロ様を見ておりました」

「何してるんですか、未来の夫なんだからこそこそせずに堂々と声をかければいいじゃないですか」

「それじゃあ想像して楽しめないでしょ。想像とは、自分と関係のない場所でやるものよ」

「最低だ！」

ヒルベルトの正直な感想を、ティファンヌは鼻で笑ってあしらった。


結局、ヒルベルトとの交渉で時間を食ってしまい、レアンドロとエミディオの禁忌《きんき》の恋を妄想する暇もなく部屋へ戻ることになった。レアンドロが部屋を訪れる時間になってしまったからだ。

急ぎ足で部屋へ戻ったティファンヌは、予定通りの時間に部屋を訪れたレアンドロを何食わぬ顔で出迎え、メラニーにお茶を用意させてソファに向かい合って腰掛ける。

勤務中にティファンヌのもとを訪れているため、レアンドロは今日も純白の鎧《よろい》を身にまとっている。姿勢よくソファに腰掛け、お茶を口にするその仕草さえ絵になった。

こんな美丈夫《びじょうふ》と麗《うるわ》しの王太子殿下の許されざる恋なんて、おいしすぎる。早く二人が並んで立つところを見て妄想したい。顔を近づけて内緒話なんかしだした日には、鼻血が出てしまうかもしれない。

——などと、意識が半分どこか遠くの世界へ旅だっていたティファンヌは、

「明日の午後、馬で遠乗りに出かけませんか？」

レアンドロの初めてのお誘いに対し、

「…………………は？」

としか答えられなかった。

本人を前に妄想していたのも悪かったのだが、それ以上に、まさかレアンドロからお誘いを受けるなんて思ってもいなかった。なぜなら、ティファンヌとの時間を作るということは、つまりは大切なビオレッタの傍を離れるということだ。

「あの、光の巫女様は大丈夫なのですか？　以前のようなことがまた起こらないとも言えませんし……」

レアンドロがいないときにビオレッタの護衛が誘拐犯《ゆうかいはん》へ変貌《へんぼう》したら大変だ。ティファンヌの当然の心配を、レアンドロは「大丈夫です」と笑顔で一蹴《いっしゅう》する。

「明日はエミディオ殿下が光の巫女様とご一緒されます。殿下が傍にいれば、誘拐犯などという不届き者は湧いてこないでしょう」

「なるほど、それは安心ですね」と無難に答えながら、ティファンヌの脳内は絶好調妄想中だった。

明日は一日中エミディオがビオレッタの傍にいるから、ティファンヌを誘って遠乗りに出かけるだなんて、エミディオとビオレッタが一緒にいる様子を見たくないということだろうか⁉

やはりレアンドロはエミディオに恋を⁉　同じ城内に留まることすらできないほど、思い詰めてしまっている!?

「レアンドロ様は傷心のあまり自暴自棄になって愛してもいない女と政略結婚するのね！　なんて切ないのっ」

「その愛してもいない女というのがご自分だと分かっていらっしゃいますか、王女様」

メラニーの冷静な突っ込みでティファンヌは妄想の世界から現実へ帰ってくる。

意識のほとんどを妄想の世界へ飛ばしていたティファンヌだが、きちんとした受け答えでレアンドロと明日の約束をし、その後お見送りまできちんとしていた。人間離れした所業はティファンヌがどれだけ年季の入った変態かを如実《にょじつ》に表しているのだが、残念なことにそれを指摘する常識人はこの部屋にいない。

「確かに私が婚約者なんだけど、愛していないのはお互いさまだから大丈夫よ！」

愛する愛さない以前に、ティファンヌはレアンドロのことをよく知らない。毎日お茶をしているが、それはほんのわずかな時間だけでレアンドロの人となりを知るには至っていない。

見目が麗しいとか、騎士として武力だけでなく知力にも長けていて将来有望であるとか、そういった評判はいくらでも手に入るのだが、それは結局、レアンドロの外面的要素であって彼自身の内面を知り得たわけではない。

一般的な女性ならばそれだけで恋に落ちるのかもしれないが、見目麗しい人は鑑賞物と常々思っているティファンヌは面食いではなかった。

「でしたら、明日の遠乗りで少しでもお互いを知ることができたらいいですね」

「そうねぇ。あまり想像を膨らませないように気を付けるわ」

どういうわけか、レアンドロを見ているとティファンヌの妄想が止まらなくなるのだ。見目麗しい人ならビオレッタやエミディオもいるし、城勤めの人々はみな華やかな美人が多いというのに、なぜだか、ここ最近のティファンヌの妄想の中心はレアンドロだった。

レアンドロとビオレッタ、またはレアンドロとエミディオ、といった妄想はほとばしるのに、エミディオとビオレッタではあまりはかどらない。

「障害があるからこそ燃え上がるというやつかしら」

ティファンヌの問いに、メラニーは答えを与えてくれなかった。


翌日、うららかな太陽が空の中心にたどり着くころ、ティファンヌはアレサンドリ王城の前庭にてレアンドロを待った。時間に遅れることもなく現れたレアンドロは、黒鹿毛《くろかげ》の馬を連れていた。

レアンドロの愛馬だというその馬は、ティファンヌの視線より高い位置に鞍《くら》がくるほど大きな体躯《たいく》と、つややかな毛を持つ秀麗《しゅうれい》な馬だった。歩く姿も堂々としていて物怖《ものお》じしない豪胆《ごうたん》さが全身から伝わり、それでいてティファンヌを見下ろす黒い瞳は静かな優しさをたたえていた。

ティファンヌがレアンドロへの挨拶《あいさつ》も忘れて彼の馬に魅入《みい》っていると、同じように黙ってティファンヌを見つめていたレアンドロがぽつりとつぶやいた。

「……今日は、いつもの装いと趣《おもむき》が違うのですね」

「あ、はい。今日は馬に乗せてもらいますから、邪魔にならないよう装飾品ははぶきました」

今日のティファンヌは、いつもの装飾過多なドレスや塔《とう》のように高い盛髪《もりがみ》ではなく、立襟《たちえり》の身体《からだ》にぴったり寄り添うつくりの、スカートもあまり膨らみのないドレスを纏《まと》い、ハーフアップにした髪には小さな帽子をかぶせていた。普段に比べると地味ではあるものの、細やかな花の刺繍《ししゅう》が施《ほどこ》された生地《きじ》であったり、帽子にベールがかかっていたりと、それなりに着飾ってはいた。

対するレアンドロも、今日は目印ともいえた純白の鎧を脱ぎ、生成《きな》りのシャツとグレーのズボンにロングブーツを履《は》いて、黒のベストとジャケットは足さばきがしやすいようにか短めの丈だった。腰に佩《は》く剣が彼の動きに合わせて軽やかな音を奏でる。

「女性は装いひとつで雰囲気《ふんいき》ががらりと変わるとよく言いますが、本当にいつもと印象が違って驚きました。普段のあなたを王城の庭に咲き誇るバラとするなら、今日のあなたは湖の縁を彩る野花ですね。人の手が加えられていない素朴《そぼく》な花には見る者の心を癒《いや》す不思議な魅力がありります」

それはつまり、普段のティファンヌは作り込みすぎて肩がこる、という意味だろうか？　と邪推しそうになったが、ここは素直に賛辞として受け止めることにする。

「お恥ずかしい話なのですが……ヴォワールにいたころは、このような地味な格好ばかりしていたのです。アレサンドリへ嫁《とつ》ぐにあたり、ヴォワールの王族として恥ずかしくない格好をするように父に言われました」

というのは方便で、実際は脆弱《ぜいじゃく》な人間に渡す服はないとばかりに姉たちのおさがりしかもらえなかったのだ。父に実力を認められてからは服を仕立ててもらえるようになったが、趣味の覗きをするには華美なドレスは邪魔なだけなので、結局装飾の少ないドレスばかり着ていた。

「あなたは国の名誉を背負ってアレサンドリへやってきたのでしたね。ですが、あなたはもうすぐ私の妻となり、アレサンドリの民となります。ヴォワールに対して必要以上に気を遣わなくてもよいのでは？」

「……というのはつまり？」

ティファンヌが首を傾《かし》げると、レアンドロは胸元を流れる彼女の髪に触れた。

「無理に着飾る必要はないということです。先ほども言ったでしょう。野花は見る者の心を癒す魅力があると。私は、今のあなたの方がずっと身近に感じられる。なんだかやっと、本当のあなたに出会えた気がします」

そう言って、レアンドロはティファンヌの髪をひと房つかむと、そのまま唇を落とした。思いもよらぬレアンドロの行動に、ティファンヌは顔に熱が集まるのを感じ、恥ずかしさのあまり振り払って両手で顔を隠したいのに、それはさすがに失礼だと思いティファンヌは必死にこらえる。そんな彼女をひとしきり見つめたレアンドロは、微笑《ほほえ》みを浮かべてティファンヌの髪から唇を離した。

「それでは、行きましょうか」

ティファンヌの髪を自由にしたレアンドロは、その手を差し出す。ティファンヌは「は、はひっ」と声を裏返らせながらレアンドロの手を取り、彼に促《うなが》されるまま馬に乗った。ティファンヌが乗ったくらいでは揺らがない馬の安定感と見晴らしのよさに感心していると、レアンドロがティファンヌの背後に座り、腕を回して手綱《たづな》を握った。

二人乗りをすると聞いた時点で分かってはいたが、レアンドロが近い。ものすごく近い。ティファンヌの背中が、彼の胸にぴったりとくっついて、鎧を着ていないせいでレアンドロの筋肉や体温を鮮明に感じ取ってしまう。落ち着かなくて離れたいと思い、しかし今ここで下《へ》手《た》に動けば落馬という未来が待っていることもきちんと理解しているので動けない。そんな葛《かっ》藤《とう》がさらに背中の感覚を鋭くさせてしまい、レアンドロの鼓動さえも感じ取れるほどになっていた。

たかだか二人乗りの乗馬ごときでこれほどまでにどぎまぎするなんて、正真正銘《しょうしんしょうめい》の変態ではないか、とティファンヌは物悲しい気持ちになる。少しでも意識を背中から切り離そうと、テイファンヌは口を開いた。

「あのっ、今日はどちらへ向かうのですか？」

二人を乗せた馬はレアンドロの指示に従い、前庭をゆっくり歩きはじめる。

「今日は、城下町を抜けて森へ向かおうと思います。森の奥に湖があって、今の時期は湖の周りが花で埋まって美しいのです。少々時間はかかりますが、あなたもきっと気に入るはずです」

「えっ、時間がかかるんですか？」

「お茶をするのにちょうどいい時間に着けると思いますよ」

早めの昼食の直後に出発で、お茶をするのにちょうどいい時間に到着とは……数時間かかるということだ。

ティファンヌの脳内で警笛《けいてき》が鳴り響いた。

「ちょ、ちょっと、ちょっと待って——」

「さぁ、行きましょう。しっかりつかまってください！」

ティファンヌの制止はレアンドロには届かず、無情にも馬は走り出したのだった。

女であっても強くあれ。そんな教えを掲げる国なのだから、当然女性も乗馬をたしなんでいた。ティファンヌも幼いころから乗馬を教えられてきたが、病弱で体力が壊滅的に少ないティファンヌに乗馬など夢のまた夢だった。幸いなことにというべきなのか、ティファンヌはいないものとして扱われていたため馬に乗って出かけるということがほとんどなく、馬に乗る必要があるときはメラニーに乗せてもらったし、遠出をすることなどまずありえなかった。

そんなヴォワール国民らしからん脆弱なティファンヌが、二人乗りとはいえ馬に乗って数時間移動となると、結果など目に見えていた。

「ティファァ、気分はいかがですか？　少しはましになりましたか？」

ぐったりと横たわるティファンヌを、レアンドロが心配そうに見下ろす。

ティファンヌの危惧《きぐ》通り、長距離乗馬により彼女の体力は底をついた。唯一の救いは、目的地である湖へたどり着くまで何とか耐えきったことだろうか。極限まで辛抱《しんぼう》したせいで腕を持ち上げる力すら残っていないが、志《こころざし》半ばで倒れるよりもずっといい。

頑張って湖までたどり着いたからこそ、景色を眺めるという現実逃避が可能だった。

そう、このレアンドロに膝枕されている、という状況から。

湖にたどり着くなり気が抜けて動けなくなってしまったティファンヌを、レアンドロはわざわざ木陰まで運び、さらにかいがいしく膝枕までして休ませてくれたのである。

抱き上げられて木陰まで移動したのはもう何も言わないでおこう。いつ踏みつけられるかわからない馬の足元で放置されるより、木陰の方がずっと過ごしやすい。

けれども、なぜ膝枕なのか。膝枕とは、本来女性が男性にするものだろう。これでは逆ではないか――いや、問題はそこではない。

そもそも、膝枕をする必要があるのか。休ませるだけなら、木陰においておけばいいのだ。ティファンヌがぐったりしている間に、レアンドロは自由に歩き回って自然を楽しめばいい。せっかく色とりどりの花が咲き乱れているのだから、ビオレッタなりエミディオなりへ土産《みやげ》として花を摘めばいいのに。

どうして、レアンドロはティファンヌの髪を優しくすいているのだろう。

「か弱い女性を誘うには少々距離がありすぎましたね、申し訳ありません。あなたはヴォワールの出身だから、馬に乗り慣れているものだと勝手に思っていました」

レアンドロはせっかくの景色を楽しむこともなく、ティファンヌの横顔を見下ろしながら何度も謝っていた。

「レアンドロ様は何も悪くありません。ヴォワールでは、馬に乗れない人間の方が珍しいんです。私は、落ちこぼれだから……」

髪をなでるレアンドロの手が止まる。彼がどんな顔をしているのか見る勇気がなくて、ティファンヌは陽射しを受けてきらめく湖面を見つめた。

「幼いころの私は、とても身体が弱かったんです。ヴォワールという国は弱さを嫌います。だから、私は生まれてはいけない存在でした」

「……ですが、あなたは、いまここにいる。私の妻となるために、アレサンドリへやってきてくださいました」

「そうですね。私が生きてこられたのは、お姉さまのおかげなんです。弱かった私に生きていていいと言ってくれた。私を守るために、メラニーを置いていってくれた」

新しい強さを示してくれたのはリディアーヌだった。希望を与えてくれたのも、手を差し伸べてくれたのもリディアーヌだけだった。

ティファンヌは弱々しく震える腕を湖へ向けて伸ばす。湖面を照らす光の向こう側へ行けたなら、もう一度リディアーヌに会えるだろうか。

「ならば私は、その方に感謝しましょう」

レアンドロはそう言ってティファンヌの手を取ると、その手を思い切り引っ張ってティファンヌを自分へと振り向かせた。抵抗する力すらなくされるがままにレアンドロへと身体を向けたティファンヌは、思っていたよりもずっと至近距離に迫っていた彼の顔を見つめた。

「私は、あなたに出会えてよかったと思います。始まりは政略結婚ですが、それでも私はあなたを好ましく思っている」

「好ましくって……でも、私は、ヴォワールの間者《かんじゃ》かもしれないんですよ？」

「そう言う輩《やから》もいますが、私は疑ってなどいません」

「どうしてですか？」

「強《し》いて言うなら、光の巫女様があなたは信用できるとおっしゃったから、でしょうか。けれど、光の巫女様の主張だけで誰かを信用するほどおめでたい思考はしておりません」

「え、それって結局、どういうことなんですか?」

戸惑いを隠せず眉根《まゆね》を寄せるティファンヌへ、レアンドロはつややかに微笑む。

「どういうことなんでしょうねぇ。自分で考えてください」

そう言って、レアンドロは口元に人差し指を立てた。ただそれだけなのに、ティファンヌは頭がくらくらして目を開けていられなくなった。


結局、その日はティファンヌの体力回復を待ちながらお茶を飲み、ある程度動けるようになると城へと出発した。行きと違い何度も休憩を挟んだため予定よりずいぶん遅い時間になり、外で待っていたメラニーが「ご無事で安心しました」とティファンヌを気遣う言葉をかけたため、明日は槍が降るかもしれないと思ってしまったのは秘密だ。

遠乗りではレアンドロとの距離の近さに戸惑ったティファンヌだったが、その後の二人の関係が劇的に変わるということもなく、相変わらずお茶をする以外は顔を合わせなかった。

ひとつ、変わったことがある。ティファンヌがやたらと着飾らなくなった。レアンドロの言う通り、ティファンヌはもうすぐアレサンドリの民となる。いつまでも父の言うことを聞いていなくてもいいんじゃないか、と思ったのだ。

身軽な服装になったところで、今日も今日とてティファンヌは物陰に隠れてレアンドロを観察する。レアンドロはレアンドロで、ビオレッタを遠くから護衛していた。

場所は以前見つかってしまった中庭で、ビオレッタはエミディオと二人廊下《ろうか》に展示された美術品を鑑賞している。

「てっきり王太子殿下と光の巫女様がご一緒しているところを見ていたくなくて、私のところへ通っているのだと思っていたのに……」

「平気そうな顔をしていますね、王女様」

メラニーの言う通り、二人を見つめるレアンドロに苦悶《くもん》や迷いと言った暗い想いは感じられなかった。中庭の低木から顔を覗かせていたティファンヌは、頭をひっこめて「面白くなぁい！」とぼやいた。

「王太子殿下と光の巫女様とレアンドロ様で三角関係を想像していたのになぁ」

「いや、レアンドロ様に限ってあり得ないですよ。あの方、光の巫女様を女神のように崇《あが》めていますからね。恋い慕《した》うなんてあるはずがないです」

ヒルベルトがティファンヌへ現実を突きつける。屈強な騎士の精神すら砕くビオレッタの美《び》貌《ぼう》は、レアンドロの篤《あつ》い信仰心の前ではただ神聖さを醸《かも》すエッセンスでしかなかったらしい。

「光の巫女様は範囲外だとしても、王太子殿下の可能性だってあるじゃない」

「何言ってるんですか!? 王太子殿下は男性ですよ、恐ろしいことを言わないでください」

ヒルベルトは両腕を抱えてなでさすり、身震いした。

ティファンヌの護衛を減らす代わりに、必ずヒルベルトを連れて歩く、という約束通り、ティファンヌはメラニーとヒルベルトの二人を連れて行動していた。基本的にヒルベルトがついてこられるよう配慮《はいりよ》しながら動き回っているのだが、時折夢中になりすぎてヒルベルトを置き去りにしてしまうことがある。そういう時は、後で半泣きとなったヒルベルトと遭遇《そうぐう》した。

「というか、そんな気持ち悪い妄想をするためにこそこそしているんですか。しかも変なものまで持ち出して」

ヒルベルトはティファンヌの手元を力強く指さす。

「失礼ね、これは変なものではないわ。眼鏡《めがね》よ、め・が・ね！」

ティファンヌが持つ眼鏡は、一般的な鼻にのせるものではなく、眼鏡の片側の端に長い棒がくっついており、その長い棒の先を持って眼鏡を目元へ持って行くという代物《しろもの》だった。

「これがあれば、観察対象の表情を確認することができるのよ！」

「一般的な眼鏡のように落とす心配はありません。使いやすさに特化した結果です」

「まさかの特注品だった！」

ヒルベルトは両手を地面についてうなだれた。

「もう、何なのヴォワール。特注で変な眼鏡とか作っちゃうし、王女様はこんなだし、お付きの侍女《じじょ》もおかしいし、まともな人はいないの？」

「ちょっと、うるさいわよヒルベルト！　見つかっちゃう――」

ふと、ビオレッタと目が合い、ティファンヌは慌てて身をかがめて隠れた。しかししばらくとせずに足音が近づき、誰かの影がティファンヌを覆《おお》う。

「今日はこんなところに隠れていたのですね、ティファァ」

ティファンヌが顔を上げると、低木の向こう側から身を乗り出したレアンドロがいた。

二人きりで遠乗りに出かけてから、ティファンヌの服装以外にもうひとつ変わったことがあった。身を隠して覗《のぞ》きをするティファンヌを、レアンドロが見つけてしまうことだ。

どこに隠れていようと、必ず見つけてしまうのだ。こんなこと、ヴォワールにいたときはあり得なかった、腕が落ちてしまったんだろうか。

不安になる反面、ティファンヌを見つけて笑うレアンドロの顔を見ると、ほんの少し喜ぶ自分に気付く。

そうして次第に、妄想するためにレアンドロたちのもとへ向かうのではなく、彼に見つけてもらいたくて身を潜めるようになっていった。

「今日はここにいたのですね、ティファァ」

そう声をかけられるたびに、どこか得意げなレアンドロの笑顔を見るたびに、ティファンヌの心は温かい何かで満たされていった。


「もしかして私は、レアンドロ様に恋をしているのかしら？」

朗らかな光を降らせた太陽は眠りにつき、頬《ほお》を伝う涙のように頼りない月が星々の力を借りて夜を照らすころ。長い髪をメラニーに梳《くしけず》られているティファンヌがそうこぼす。

「いまさらですか、王女様。そんなことわざわざ言わなくとも、見ていれば分かります」

メラニーは手を止めることすらなくおざなりに答えた。

ティファンヌとしては胸に秘めて悩みに悩んだ末打ち明けたというのに、なんと適当な返事だろう。ティファンヌが口をへの字に曲げて不服を示すと、メラニーは鏡越しにちらりと視線をよこし、また作業を再開した。

「よかったではありませんか。政略結婚の相手に恋ができるなんて。共通の話題が見つからないほど年上の方や、生理的に受け付けない容姿や性格、性癖《せいへき》をお持ちの方であろうと結婚しなければならない、それが政略結婚というものなのですよ」

「確かに、そうなんだけどぉ……私って、面食いだったのね」

「王女様を面食いと言わずして、なんと呼ぶのですか」

「えぇっ、そんなに？　そりゃ確かに見目麗《みめうるわ》しい人たちを絡めて想像してばかりだけど、けどそれはあくまで空想であって現実とは関係ないというか……」

「見目麗しい方たちを見ると妄想せずにはいられない。それはまさしく面食いです」

「そ、そうだったのか……」とティファンヌが打ちひしがれている間に、メラニーは慣れた手つきでティファンヌの髪を三つ編みにする。

「レアンドロ様も王女様をお気に召している様子ですし、王女様は幸せ者だと思いますよ」

「そう、なのかな？　でも私、ヴォワールの間者《かんじゃ》と疑われているし……」

「事実、間者なのだから致し方ありませんね。ですが、観察対象が王女様の存在に気付くなんて、今まであり得ませんでした。愛ゆえに、という言葉がとても似合うと思いませんか」

「あ、愛っ……」と顔を真っ赤にして固まるティファンヌへ、髪の手入れを終えたメラニーは優しく微笑《ほほえ》み、ティファンヌの両肩に手を置いた。

「お姉さまが今ここにいらっしゃったら、きっとこういうはずです。『幸せにおなりなさい、ティファァ』と」

「メラニー……」

「幸せになってください、王女様。私は、あなたが幸せになるのを見届けるよう、お姉さまより命じられているのです。私に仕事をさせてくださいな」

普段感情を表に出さないメラニーが表情豊かに話すのは、彼女の唯一の主である、リディアーヌのことを話すときだけ。

メラニーの優しい、そして悲しい笑顔を見て、ティファンヌは、この恋を大切にしようと心に決めた。


自分の恋心を自覚してから、ティファンヌは毎日が輝いて見えるようになった。

朝のお祈りの時や二人でのお茶会、レアンドロと会える時間は限られているけれど、その時を今か今かと待ちわびるというのも初めての感覚でとても新鮮だった。また、会いたい思いのままレアンドロのもとへ赴《おもむ》き、身を潜めて観察しながら見つけてもらえるだろうかと期待するのも楽しかった。レアンドロなら必ず見つけてくれると、どこかで安心していたのかもしれない。

初恋に浮かれすぎていたのだと、思い知らされるまでは。

「ティファンヌさんは、本当に居心地のいい光を纏《まと》っていますよね」

始まりは、ビオレッタのこの一言だった。

せっかく同じ城内で生活しているのだからと、ビオレッタはティファンヌを自分の部屋へ招いた。ティファンヌは伺《うかが》ったビオレッタの部屋でお茶をごちそうになりながら、なぜか向かいではなく隣に腰掛けたビオレッタに、たき火よろしく両手をかざされていた。

「私にはよくわからないのですが、私自身が発光しているのではなくて、光の精霊が私の周りを漂っている、ということですか？」

「そうですね。光の精霊たちが、ティファンヌさんの周りを少し漂って離れていくんです。常に光の精霊を数人纏わせているから、ティファンヌさんの周りにほんのりと光が宿っているんです。それがまぁ、目に優しいというか癒《いや》されるというか和《なご》むというか……」

ビオレッタは見ているこちらの気が抜けてしまいそうな緩《ゆる》み切った表情を浮かべている。

「ティファンヌさんの周りには精霊が動き回っているので、隠れていてもすぐにわかるんですよ」

ビオレッタが何とはなしにしゃべった内容に、ティファンヌは「え？」と目を見開いて凍り付く。ティファンヌの変化に気付いていないビオレッタは、ご丁寧《ていねい》に説明し始めた。

「いつも、物陰に隠れて私たちを観察していますよね。ティファンヌさんが私たちの傍へ来ると、精霊たちが教えてくれるんです。指示された場所をうかがってみると、光の精霊がふよふよと集まっているところがあって、そこにティファンヌさんが隠れているんです」

ビオレッタとやたらと目線が合うような気はしていた。けれど、ただの勘違いだと、たまたまだと思っていた。思いたかった。

だって、ビオレッタと目線が合った直後に、いつもレアンドロはティファンヌを見つけていたから。

夢から覚めたみたいに、ティファンヌの浮かれた心が冷静になる。

レアンドロはティファンヌを見つけてなどいなかったのだ。精霊によってティファンヌの居場所を知ったビオレッタの視線を追って、ティファンヌの居場所を把握《はあく》していただけ。

ビオレッタを見つめた先でティファンヌを発見しただけで、ティファンヌ自身を見つけてくれたわけではない。

最初から分かっていたことじゃないか。レアンドロの世界はビオレッタを中心に回っている。

ビオレッタが信じると言ったからティファンヌを信用し、ビオレッタが気づくから身を隠すティファンヌを探し出せる。

レアンドロがビオレッタよりティファンヌを優先することは絶対にない。

なぜならティファンヌは、『二番目』だから。


現実を突きつけられたティファンヌは、趣味の覗きに出かけることもなく、部屋に閉じこもるようになった。

初恋かと浮かれて舞い上がっていただけに、どうすればいいのか分からない。レアンドロのことを思うだけで心に温かくも苦しい衝動のようなものが込み上げてくるのに、それを冷静に分析する自分もいる。まるで両掌《りょうてのひら》にレアンドロへの恋心をのせて、じっと観察しているかのようだ。完全に自分の気持ちを持て余してしまった。

レアンドロやビオレッタとどんな顔で会えばいいのか分からず、ティファンヌは体調が悪いと嘘をついて一日夜着《よぎ》で過ごし、レアンドロとのお茶会も朝のお祈りもすべて断ってひたすらベッドでごろごろしていた。

ティファンヌの嘘に気付いているだろうに、メラニーは何も言わなかった。ベッドから出てこようとしないティファンヌのために食事を運び、時間をつぶすための本をいくつか持ってきて、さらに城で仕入れた噂話《うわさばなし》などを話してさりげなく外へ促《うなが》す。けれど無理矢理外へ出そうとか、何があったのか聞き出そうとはしない。

ティファンヌの心が落ち着くまでひたすら待ってくれるメラニーの優しさが、いまのティファンヌにはありがたかった。

「ねえ、メラニー」

「なんでしょう、王女様」

「あなたがいてくれて、本当によかった。あなたを私に残してくれたお姉さまに、心から感謝するわ」

ティファンヌがシーツの中に身を隠しながら素直な気持ちをさらすと、メラニーは押し黙ってしまった。いつものようにおざなりな返答もなく、だからといってまじめな返しがあるわけでもなく、気配は感じるのでベッドの傍に立っていると思うのだが、うんともすんとも反応がない。

次第に不安になってきたティファンヌが、シーツから顔を出してメラニーの様子をうかがおうかな、と思った時だ。

ティファンヌを覆い隠していたシーツを、メラニーが無理矢理引きはがした。突然明るくなったティファンヌの視界に映ったのは、いつもの無表情で自分を見下ろすメラニー。

「王女様、私と賭《か》けをしましょう」

「え、は、賭け？」

突然何を言い出すのかと、訳が分からず戸惑うティファンヌの腕をつかみ、メラニーは隣の居間へと移動する。二人が立ち止まったのは本棚《ほんだな》の前。隠し通路の入り口となっている本棚だとティファンヌが思っていると、メラニーは燭台《しょくだい》をぶら下げるフックを引き下げ、隠し通路への道を開く。

「今から二人で、ここに隠れてしまいましょう。もしもレアンドロ様が見つけられたならそのままあのお方と結婚する。もしも見つけられなかったなら、私と一緒に通路の奥へ進みましょう」

「通路の奥へって……そんなことをしたら……」

ティファンヌは続きを言えなかった。メラニーの眼差《まなざ》しから、揺るがぬ覚悟を感じ取ったから。

この通路を進むということが、何を意味するのかメラニーはきちんと理解している。理解したうえで、ティファンヌに賭けを持ち掛けたのだ。

ティファンヌはぱっくりと開いた通路を見る。燭台の明かりさえも飲み込む漆黒《しっこく》の闇が、ティファンヌを丸飲《まるの》みにしようと口をあけて待ち受けているように見えた。

「……分かったわ。その賭けにのりましょう」

ティファンヌは寝室からランタンをひとつ持ってきて、メラニーとともに隠し通路へと身を隠した。

扉を閉めるなり、たちまち闇に覆い隠されて頼りない明かりしか灯せていないランタンを足もとに置き、ティファンヌとメラニーは扉のすぐ前に腰掛ける。ティファンヌは扉に、斜め前に座るメラニーは壁にもたれかかりながら、お互いの顔を見ることも、言葉を交わすこともなく、唯一の光であるランタンの灯を見つめて過ごした。

待ち人は、それほど時を経たずして現れた。

「ティファンヌ様、レアンドロ様がいらっしゃいました」

扉の向こうから、少しくぐもったヒルベルトの声が聞こえてくる。いつもならすぐにメラニーが対応するのに、誰も出てこないことを不審に思ったヒルベルトが、レアンドロとともに中へと入ってきたようだ。

「メラニーさん？　ティファンヌ様の様子はいかがですか？」

ノックの音と、ヒルベルトの声。おそらく、寝室の様子をうかがっているのだろう。

「ティファ、体調はいかがですか？」

レアンドロの声が聞こえて、ティファンヌは身体《からだ》をこわばらせた。メラニーがなだめるようにティファンヌの手を握りしめる。

やがてティファンヌがいないことに気付いた二人は、すぐさま部屋中を調べてティファンヌを探した。

「ティファンヌ様ってば、絶対俺を連れていくって約束したのに！」

「いつもの徘徊《はいかい》なら問題はないが……誘拐《ゆうかい》の可能性もある。ヒルベルト、まずはティファの行きそうな場所を見て回れ。私はエミディオ殿下に報告してくる」

「はい！」

ヒルベルトのはきはきとした返事の後、部屋を飛び出していく足音が響き、やがて何も聞こえなくなった。

もとの静けさを取り戻してしまった暗闇の中で、ティファンヌは両足を抱えて小さく縮こまった。

やはり、レアンドロはティファンヌを見つけられなかった。

当然だ。いつもの茂みや物陰ならまだしも、こんな隠し通路に潜むティファンヌを見つけるなんて、それこそ精霊の手を借りない限り――

突然、ティファンヌがもたれかかっていた扉が傾き、不意をつかれたティファンヌはなすすべもなく床へあおむけに倒れた。暗闇に慣れてしまった目が痛みを覚え、瞼《まぶた》をぎゅっと閉じる。閉じてもなお光が瞬いているように感じるまぶしさがふと和《やわ》らぎ、ティファンヌは恐る恐る目を開けた。

「見つけましたよ、ティファ。やっぱり、部屋の中に隠れていましたね」

白く霞《かす》む世界の中心に、自分を見下ろすレアンドロが立っていた。ティファンヌはあおむけの姿勢のまま、視線をせわしなく動かしてビオレッタの姿を探す。しかし、ビオレッタも黒猫も、ヒルベルトさえもいない。ティファンヌの部屋にいるのは、レアンドロだけだった。

「こんなところにこんな道があるなんて、よく発見しましたね。今回は少し、見つけるのに骨が折れました。ティファは本当に、かくれんぼが上手《じょうず》ですね」

そう言って、レアンドロは得意げに笑う。いつもと変わらない、少し幼くも見えるその笑顔が、ティファンヌの冷え切った心を溶かしていく。

「……小さいころ、兄様姉様と、かくれんぼをしていたんです」

かくれんぼなんて嘘っぱちだ。幼いティファンヌは身を守るために隠れていただけだ。

「誰よりも小さくて弱い私だったけれど、身を隠すことだけは、誰にも負けなかったから」

見つかってしまえばひどい仕打ちが待っている。だから決して見つからないようにと呼吸すら殺して身を潜めた。

「やがて兄様たちは、私を見つけることをあきらめるんです。誰にも見つけてもらえずに、私はずっとそこから動けませんでした」

自分を探す声が聞こえなくなっても、ティファンヌはそこから出る勇気がなかった。いつどこで誰に会うかもわからない。そんな恐怖に押しつぶされて、動くことができなかった。

そんなティファンヌを見つけてくれたのは、リディアーヌだった。

「私は本当は、見つけてほしかった。ここにいるんだと知ってほしかった」

ティファンヌの目尻から、涙が一筋落ちていく。ひとつ落ちれば、またひとつ。次々に涙をこぼす自分の目を、ティファンヌは両手で覆《おお》う。

リディアーヌがいなくなったとき、もう自分を見つけてくれる人はいないんだとティファンヌは思った。

だから純粋に、うれしかった。自分を見つけ出してくれるレアンドロの存在が。必ず見つけてくれる人がいるという安心を得たことが。

それが勘違いだったとき気付いたとき、目の前が真っ暗になった。やっぱり自分を見つめてくれたのはリディアーヌしかいなかったんだと思い知って、いっそのこと彼女のもとへ行きたいと本気で願い、だからこそ賭《か》けにのったというのに——

「どうして……レアンドロ様は私を見つけてしまうんですか」

見つけないでいてくれたらよかった——そんなティファンヌの本音がこぼれたとき、ティファンヌの額に、柔らかいぬくもりが触れる。両手をおろして目を開けると、ティファンヌの左右に両手をついて、レアンドロが見おろしていた。

「どこにいようと、私は必ずあなたを見つけますよ。だって、私はあなたの夫でしょう？」

レアンドロはさも当然とばかりに、さらりと口にする。それがなおさらうれしくて、ティファンヌは身を起こしてレアンドロの胸に飛び込んだ。強靭《きょうじん》な騎士であるレアンドロはティファンヌを難なく受け止めて、彼女の長い髪をいたわるようになでる。

「ティファァ。私はとても不器用な人間です。だからどうしても、あなたに我慢を強《し》いることがあるでしょう。こんな私ですが、これからの人生を一緒に生きてはくれませんか」

ティファンヌは何も答えなかった。喉《のど》が詰まって、声にならなかったのだ。代わりに、彼の胸に顔をうずめたまま何度も何度も首を縦に振る。ティファンヌの答えをきちんと理解したレアンドロは、「よかったです」とはにかむように笑ってティファンヌの背中に腕を回したのだった。

第二章　いとも簡単に釣り上げられた私ですが、やっぱりお城に潜入します。

ティファンヌがアレサンドリへやってきて、一カ月。

いつものようにお茶を飲みに来たレアンドロが、お茶菓子に手を付けていないにもかかわらず舌がしびれそうなほど甘い笑顔でこう言った。

「結婚式までまもなく一カ月です。そろそろ、私の屋敷へいらしてくれませんか？」

紅茶を口に含んだところだったティファンヌは、砂糖を全く入れていないのにどうしてこんなに甘く感じるのだろうと首をひねりながら嚥下《えんげ》した。

「屋敷へ……というのは、訪問ですか」

「いえ、できれば、そのまま屋敷へ移り住んでいただきたいのです。急な話だと私も分かっています。ですが、私は少しでも長くティファファと一緒にいたい」

思いもかけないレアンドロの言葉に、ティファンヌはカップを取り落としそうになった。幸いソーサーへ戻そうとしていたところだったので、音は響いたが中身をぶちまけはしなかった。

なんなのだろう、この甘さは。まるでロマンス小説に出てくる相手役か、と叫びたいくらいにレアンドロが甘い。甘すぎる。

メラニーと賭けをしたあの日、レアンドロのプロポーズを受けてからというもの、会える時間は変わらず少ないものの、交わされる会話は様変わりした。砂糖要らずになったのだ。

レアンドロの口から出てくる言葉があまりに甘すぎるため、ティファンヌは彼と飲むお茶に砂糖は入れず、お茶菓子にも手を付けなくなった。おかげで一カ月後のウェディングドレスはいつもより美しく着こなせそうだ。

などと、現実逃避している場合ではない。ティファンヌが無理やり放り込まれた甘味を必死にかみ砕いて飲み込んでいる間に、レアンドロの凛々《りり》しく山を描く眉《まゆ》がハの字に下がってしまった。

「嫌、ですか?」

「い、いえ。嫌というわけではなく……驚いただけです」

レアンドロの糖度の高さにな、とは言えない。

「では、私の屋敷へ来てくださいますか?」

「はい。不束者《ふつつかもの》ですが、よろしくお願いします」

ティファンヌは姿勢を正して頭を下げる。

夫婦がひとつ屋根の下で暮らすことは常識だ。だから、ティファンヌもいずれはレアンドロの屋敷へ移るのだろうと思っていた。まさか結婚式の一カ月前にその日が来るとはさすがに予想していなかったが。

何となく押し切られてしまったような気もするが、頬《ほお》を淡く染めて笑うレアンドロを見ていたら、まぁいいかと思ってしまうティファンヌだった。


レアンドロの屋敷への移動を了承した翌日、ティファンヌはレアンドロの屋敷の女主人となった。昨日の今日で実行という、驚くべき早さである。

城でティファンヌの世話をしてくれていた侍女《じじょ》たちが「それほどまでに一緒にいたかったのですね。愛されていますわ」と冷やかしてきて、ティファンヌとしてもまんざらでもなかったのだが、引っ越して数日が経ち、ティファンヌは悟った。

「ただ単に、私を城から追い出したかっただけじゃないかしら」

「今の状況では、否定は難しいかと思われます」

レアンドロの屋敷に用意された自分の部屋で、鏡台の前に座るティファンヌはしみじみとつぶやく。鏡に映るメラニーは、ティファンヌの髪に櫛《くし》を通しながら相変わらず淡々と答えた。

一緒にいる時間を増やしたい。そう請われてティファンヌはここへやってきたわけだが、引っ越しの日以来、一緒の時間どころかレアンドロと顔を合わせてすらいなかった。

レアンドロは屋敷を王城の近くに構えており、今までのように一緒にお茶を飲むということは無理だとしても、毎日通うことはできる距離だった。つまりは、仕事を終えれば帰ってこられるのだが、残念ながらその仕事が終わらないらしい。

一日二日くらいならば、ままあることかと思えるものの、さすがにそれが数日にも及ぶと、もしや避けられているのだろうか、と考えてしまう。

「いまの状況って、まさにあれじゃない？　釣った魚にエサを与えないってやつ」

「見事に釣り上げられて、水瓶《みずがめ》の中じゃありませんか、王女様」

「観賞用は私のような平凡じゃなくて光の巫女《みこ》様のような麗《うるわ》しい方々が向いていると思うの」

「だからエサを与えないのでは？」

「あぁ、なるほど──……自分で言い出したことだけど哀しくなってきたわ」

ティファンヌは鏡台の机にうつぶせた。

「大丈夫ですよ、王女様。レアンドロ様の仕事環境を思えば、滅多《めった》に帰ってこられないのもうなずけます」

メラニーの言う通り、レアンドロ以外の護衛が信用できないあの状況では、片時もビオレッタの傍を離れられないと思う。

「でもね、それならなおさら私を屋敷へ迎えた意味がないと思わない？　一緒にいる時間を増やしたいとか言って、減るのは目に見えていたじゃない」

「それは王女様にも言えることですよ。会える時間が減る可能性が高いと、ご自分でもわかっていらしたでしょう」

それを言われると、ティファンヌは口を閉じるしかない。

レアンドロに屋敷への引っ越しを提案されたとき、いまよりさらに会えなくなる可能性は当然考えた。というか、そんな未来しか見えなかった。けれども、ティファンヌはレアンドロの屋敷へ移ることを了承した。

結局のところ、レアンドロの「一緒にいたい」という言葉にほだされたのである。

身を起こしたティファンヌは、心のよどみを吐き出すように盛大なため息をついてから、寝室へ向かった。

王城で与えられていた部屋と同じように、レアンドロが屋敷に用意してくれたティファンヌの部屋も寝室が別となっていた。ただ、全く同じではない。

寝室へと続く扉を開くと、部屋の中央を占領する巨大なベッドが目につく。ひとりで眠るには広すぎて落ち着かないのだが、それも無理はない。

このベッドは、ティファンヌとレアンドロが一緒に眠るために用意されている。つまり、ティファンヌの寝室は彼女ひとりのものではなく、レアンドロと共同使用だった。ティファンヌが入ってきた扉の向かいの位置にある扉がレアンドロの私室へつながっている。

夫婦が同じ寝室を使うというのは珍しくない。というか一般的である。初めてこの寝室を見たときはどぎまぎしてしまったが、妻の務めをきちんと理解していたティファンヌは覚悟を決めていた。

しかし、いざふたを開けてみれば、もうひとつの扉が開くことは一度としてなく、ティファンヌはだだっ広いベッドで寒さをしのぐように毛布にくるまりながら眠るだけだった。

昼間はまだいい。屋敷を切り盛りする老夫婦の気遣いのおかげでそれほど思い悩まずに過ごせているから。けれどこうやってひとりきりになるとどうしてもいろいろと考えてしまう。

やはり、レアンドロがティファンヌを屋敷へ移動させたのは、ヴォワールの間者《かんじゃ》かもしれないティファンヌをいつまでも城内に置いておきたくなかったからではないか。国のためを思ってティファンヌを自分の屋敷へ住まわせたけれど、ティファンヌを妻として扱うのにはどうしても抵抗を感じ、それゆえ帰ってこないのではないか。

嫌な考えばかりが頭に浮かぶ中、ティファンヌはレアンドロに会いたいと思い、やはり会いたくないとすぐに考えを改める。

もしも会って、レアンドロの態度が冷たくなっていたら。

ティファンヌは、立ち直れる自信がなかった。

考えすぎるあまりなかなか眠りにつけず、うとうとした程度できちんとした睡眠をとれないまま、ティファンヌは朝を迎えてしまった。

メラニーによって浅い眠りから目覚めたティファンヌは、使われた形跡のない隣を確認してから起き上がる。メラニーの手を借りながら身支度《みじたく》をし、自分の部屋で朝食をいただく。

レアンドロの屋敷には貴族の屋敷にふさわしい立派な食堂があり、初めてそこでひとりきりで食事をしたとき、あまりにもわびしかったため、それ以来ティファンヌは自分の部屋へ食事を運ぶよう頼んでいた。

朝食を終えたティファンヌは、メラニーが部屋を整える間中庭を望めるテラスで本を読むことにしている。

アレサンドリに来てからというもの、ひたすら趣味にいそしんできたティファンヌだが、間者という役目を忘れたわけではない。結婚式に出席するためにやってくるだろうヴォワールの使者へ渡すため、一カ月の滞在で知り得た城の構造やアレサンドリの貴族の大まかな力関係などを紙に記している。

部屋に隠してあるそれらを万が一にも見つかってはならないため、ティファンヌの部屋の掃除《そうじ》はメラニーがすべて引き受けていた。

メラニーが傍にいない間、ティファンヌの面倒を見るのはこの屋敷の執事ハビエルである。レアンドロの屋敷には、執事とメイドの二人の使用人がいる。ティファンヌの両親と同じ世代の夫婦で、レアンドロが実家を出るときに一緒についてきたそうだ。

レアンドロひとりしか住んでいなかったとはいえ、屋敷を切り盛りする二人は、それはそれは優秀であった。屋敷へ移って数日のティファンヌでも、それを何度か実感している。

が、しかし、ハビエルがテラスにお茶とともに用意してくれた本が王都の噂話《うわさばなし》を集めたゴシップ誌だったときは、衝撃のあまりしばし呆然《ぼうぜん》としてしまった。

おかしいな。この屋敷へ来てから趣味の覗《のぞ》きはしていないはずなのに。せいぜい、王都へ買い物に出たときに噂話なんかをちょこちょこと仕入れてくるくらいだ。なぜハビエルに好みを把握《はあく》されているのだろう。

もしやレアンドロが……。

と、考えたところで、ティファンヌは無理矢理思考を中断した。このあたりを追及してもいいことはない。絶対にない。

ティファンヌはわざとらしくすまし顔を作り、しっかりゴシップ誌を読み始めた。ペラペラとページをめくりながら流し読みして、貴族の不倫《ふりん》疑惑に人気独身貴族や騎士の近況など、女性が好みそうな記事が並ぶ中、とある特集を目にしたティファンヌは食い入るように読み始めたのだった。

「メラニ――――！」と悲鳴のような声で名を叫びながら、ティファンヌは自分の部屋へ飛び込んだ。

「たいへんたいへんたいへんたいへんたいへん」

「王女様、そんなに大変を連呼すると、変態に聞こえますよ」

「あ、本当だ……じゃなくて！　本当に大変なのよ。すごいことを知ってしまったの！」

いつでもぶれずに冷たくあしらうメラニーにめげることなく、ティファンヌは先ほどまで読んでいたゴシップ誌を差し出す。開いたままのページには、大きな文字でこう書かれていた。

『王弟ベネディクト殿下　七年越しの愛の軌跡』

王弟ベネディクトが婚約するまでを小説形式で紹介している記事である。

「これによるとね、王弟殿下はメイドと婚約したらしいのよ！　身分差の恋っ、なんて素敵な響きなの！」

ティファンヌは両手を組んで視線を彼方《かなた》へ飛ばし、うっとりとため息をこぼした。かと思えば次の瞬間には両手をおろし、メラニーへと詰め寄る。

「これはぜひとも覗かないと！　王弟殿下が見初《みそ》めるお方よ、それはもう美しい方に違いないわ。お二人が並ぶ姿はさぞ壮観でしょうね！」

「……それで、どうされるおつもりですか？」

「それはもちろん、お城へ潜入よ！」

こぶしを突き上げて高らかに宣言するティファンヌに対し、

「分かりましたから、とりあえず掃除をさせてください」

メラニーの対応は相変わらず冷たかった。

いざ城に潜入と意気込んだティファンヌだったが、なんの理由もなしに城内に入れるわけもなく、どうするべきかと頭を悩ませていた。ついこの間まで住んでいたとはいえ、ほいほいと入ることは許されない。

頭を抱えるティファンヌへ、優秀なメイドサンドラは言った。

「旦那様《だんなさま》のもとへ、昼食のお弁当を届けてはいかがでしょう。働く夫をねぎらうために妻が手料理を運ぶ。誰も文句は言えませんわ！」

妙に熱の入った説明をされ、気圧《けお》されたティファンヌが「そ、そうね」と答えれば、すぐさま台所へと案内されてサンドラの指導のもとサンドイッチを作っていた。でき上がったサンドイッチは手ぎわよくバスケットに詰められ、いつの間に呼んだのか屋敷の前に待機していた馬車に乗っていた。

ティファンヌもメラニーも一言もしゃべっていないにもかかわらず馬車は走り出し、城へとたどり着いたかと思えば、城門には笑顔のレアンドロが待ち構えていた。

「よくいらしてくださいました、ティファア。せっかく屋敷へお迎えしたのに、あなたをひとりにしてしまい、申し訳ありません」

ティファンヌが御者《ぎょしゃ》の手を借りて馬車を降りるなり、レアンドロはティファンヌの両手を握りしめて語り掛ける。冷たくされたらどうしよう、というティファンヌの不安は全くの杞憂《きゆう》だったようで、久しぶりに会うレアンドロは変わらず糖度が高かった。

「お久しぶりです、レアンドロ様。あの……私が来ることはいつお知りに？」

「ハビエルから知らせがありました。私のために、昼食を作ってくれたそうですね」

「ええ、まぁ……」

すでに用意してあった食材を挟むだけだったので、それを料理と呼んでいいのかいささか疑問に思い、ティファンヌはあいまいに返事をする。

「せっかくですから、一緒に食べませんか」

「一緒に、ですか？」

ティファンヌは密かに焦った。ティファンヌとしてはさっさとバスケットをレアンドロに渡し、そのまましばらく城に滞在しようと思っていたのに、一緒に食べていては観察時間が減ってしまうではないか、と思う反面、予定外にレアンドロが城門まで迎えに来てしまったため、ここでバスケットを渡してさようならすれば城内に入ることはかなわないことも理解していた。

「構いませんが、あいにく、お茶の用意はしておりませんの」

つまりは城内で食べましょう、という意味だ。そこらの広場で、となってしまえば元も子もない。

「でしたら、城内にある私の私室へ向かいましょう。そこでしたらお茶を用意できますよ」

「私室といいますと、騎士棟の中ですか？」

「そうですね。武骨《ぶこつ》な男ばかりで少々むさくるしいかもしれませんが……」

「いえ、この国を守る勇猛な騎士様をむさくるしいなどと思ったりしません。ぜひ、連れて行ってくださいませ」

そしてあわよくば、ゴシップ誌に載っていた麗《うるわ》しの騎士様とやらを見ておきたい、と下心いっぱいのティファンヌだった。


騎士棟とは、その名のとおり騎士や兵士が生活する場所だ。王城を囲う外壁がそのまま騎士棟となっている。

レアンドロの私室は、一隊を任される騎士に与えられる執務室で、執務机と来客を迎えるためのソファ、様々な書類を整理する本棚《ほんだな》があるだけの質素な部屋だった。この飾り気のなさが騎士らしいと言えば騎士らしい。

レアンドロはティファンヌをソファに座らせたあと、なぜか向かいのソファではなく彼女の隣に座った。突然のことにティファンヌが戸惑っている間にも、レアンドロは騎士にティーセットを持ってこさせ、メラニーが受け取る。

メラニーがお茶を淹《い》れ始めたのを見たティファンヌは、とりあえずこの状況について考えるのを後に回し、バスケットを開けてローテーブルにサンドイッチを並べた。

「色鮮やかでおいしそうですね。では、さっそくいただきます」

少し動けば触れてしまう距離にレアンドロがいる。それがとてつもなく落ち着かなくて、ティファンヌはサンドイッチが並ぶテーブルを見つめることで平静を保とうとした。

しかし、いただきますと言いながら、レアンドロの手が一向に伸びてこない。不思議に思ったティファンヌがレアンドロを見ると、彼はこちらを見つめて口を開けていた。

「……あの、レアンドロ様？　召し上がらないのですか？」

「いただきたいです。お願いできますか、ティファ」

「…………………は？　え、あの？」

訳が分からず、瞬きを繰り返すティファンヌへ、レアンドロは口を開けたまま視線でサンドイッチをさした。

「まさか……私が、食べさせるのですか？」

「そうです。アレサンドリでは、妻が夫に手ずから食べさせることは常識です」

そんな馬鹿な！　と思うのに、レアンドロがいたって真面目《まじめ》な顔をしているため、ティファンヌは否定ができない。

ティファンヌはレアンドロを見る。本当にするべきなのかと、言葉にできない疑問をのせて。

しかしレアンドロはその問いに答えはくれず、ただ口を開けて待っているだけだった。

あまりに泰然《たいぜん》としたその姿に、もしや、本当にアレサンドリの夫婦は妻が夫に手ずから料理を食べさせるのだろうか……と考えたところで、ある言葉が頭に浮かんだ。

異文化交流。

つまり、国が違えば常識も違うということだ。ヴォワールで育ったティファンヌにとって冗談にしか思えない風習でも、アレサンドリでは一般的であるかもしれない。

ティファンヌはレアンドロを見る。彼は相変わらず口を開けて待っている。

ティファンヌはごくりと息を飲み込むと、震える手を伸ばしてサンドイッチをひとつつかんだ。それを食べやすい大きさにちぎり、レアンドロの口へ──

「レアンドロ様、大変です！」

いまにも放り込まんというところで、騎士がノックもせずに飛び込んできた。騎士のその慌てた様子を見て事態の深刻さを理解したレアンドロは、立ち上がって騎士に続きを促《うなが》す。

「光の巫女様付きの護衛が乱心しました！」

やはりと言うべきか、ビオレッタの護衛がまた誘拐犯《ゆうかいはん》に変貌《へんぼう》したらしい。

「巫女様の身は？」

「無事です。ディアナ様とご一緒でしたので、不届き者は沈められました」

「分かった。不届き者は二日間謹慎《きんしん》して頭を冷やさせるように。私は巫女様の警護に戻ろう」

指示を受けた騎士が部屋を出ていくのを見送ってから、レアンドロは手を伸ばしかけた状態で固まるティファンヌへと向き直る。

「申し訳ありません。せっかくあなたが昼食を作って持ってきてくださったのに……すぐに仕事へ戻らなくてはなりません。後のことはヒルベルトに任せておきますので、ティファはゆっくりしていってください」

固まったままのティファンヌが、声も出せず首の動きだけで了承を伝えると、レアンドロは颯爽《さっそう》と部屋を出て行ってしまった。

中途半端に手を持ち上げたままのティファンヌを置いて扉が閉まる乾いた音がむなしく響く。

とたん、ティファンヌは糸が切れた人形のようにソファに倒れ込んだ。

「……なんだか、もてあそばれた気がする」

「残念ながら、私から見てもそのように思えました、王女様」

ティファンヌはソファの背もたれに顔をうずめて、衝動のままに叫んだ。

とりあえず平静を取り戻したティファンヌは、いまだ手に持ったままのサンドイッチを見つめ、盛大なため息をこぼした。

「せめて……一口だけでも食べてほしかったな。仕方がないことだけど」

手でちぎった一口を食べてほしいという意味ではない。断じてない。

「これはどうなさいますか？　さすがに、王女様ひとりでこの量は食べられないでしょう」

「メラニーが一緒に食べても余るわよね。う～ん、このまま持って帰ったら、サンドラたちに申し訳ないし……」

二人でサンドイッチを頰張《ほおば》りながら、どうしたものかと頭を悩ませていると、「失礼しまーす」と緩《ゆる》い声をかけてヒルベルトが入ってきた。

「あ！　そうだわ、いいことを考えた！　ヒルベルト、あなたサンドイッチを食べない？」

ヒルベルトはべっ甲《こう》に似た透明な光を宿す瞳を見開き、ティファンヌとテーブルの上に並ぶサンドイッチを見比べる。

「ものすごく、おいしそうですけど……残念なことに昼食を済ませたばかりでして、ご遠慮《えんりょ》します。せっかくのお気遣いを無下《むげ》にして申し訳ありません」

なぜだか一歩後ずさりしてヒルベルトは答えた。何となく引っかかるものを覚えるも、ティファンヌは「そう……」とだけ答える。

「じゃあ、これは他の騎士たちに配ることは可能かしら？　私とメラニーでは食べきれないのよ」

「え、でも、後でレアンドロ様が食べられるんでは？」

「いつになるかわからないでしょう。時間が経ちすぎるとおいしくなくなってしまうわ。それに、残しておいてほしいなんておっしゃらなかったわよ。ねぇ、メラニー」

「そうですね。後のことはヒルベルトに任せるとだけおっしゃっておりました」

「ほらね？　だから、これを何とかしてちょうだい。食べ物は粗末にしてはいけないのよ」

ヒルベルトはサンドイッチを見つめてしばらくうなった後、仕方ないとばかりに肩を落とした。

「まぁ……それもそうですね。とりあえず食堂へ持って行って、食べるか食べないかは各自の判断と責任で、ってことにしておきましょう」

「何よそれ。言っておくけど、味は保証するわよ」

「別にまずいと疑っているわけじゃありませんよ。ティファンヌ様は、ここ数日のレアンドロ様の鬼のしごきを知らないからそんなことが言えるんですって」

「鬼のしごき？　何それ」

「レアンドロ様が、己の心に負けるのは、鍛練が足りないからだとおっしゃって、訓練がめちゃくちゃ厳しくなったんです。それなのに、護衛が誘拐犯になっちゃったものだから……」

ヒルベルトは視線を彼方《かなた》へ投げて身震いした。

「……それは、お気の毒としか言いようがないわね。けれどそのことと、サンドイッチを食べないこととなんの関係があるの？」

「関係ありますよ。だってそれ、ティファンヌ様の手作りでしょう？」

「その通りだけど、それがどうかした？」

「ここから先はご自分で考えてください。俺は馬に蹴《け》られたくないです」

ティファンヌは訳が分からず、さらに問いかけようとしたが、ヒルベルトはそれを拒否するかのようにサンドイッチを持って出て行ってしまった。

「……全く分からないわ。メラニー、分かる？」

「そうですね。エサを調達しようと四苦八苦していた、ということではないでしょうか」

理解不能なメラニーの答えを聞いて、ティファンヌは首をひねるしかなかった。


戻ってきたヒルベルトに連れられて騎士棟の外へ出てきたティファンヌは、城門へと向かおうとする彼を呼び止め、本当の目的を明かした。

「ベネディクト様に会いたい？　それはちょっと……難しいですね」

ヒルベルトは眉間《みけん》にしわを寄せて頭をかく。面倒くさいと言わんばかりのその態度に、ティファンヌは口を尖らせた。

「どうしてよ。会ってお話ししたいとかではなくて、覗《のぞ》くだけなのよ」

「ベネディクト様は特殊《とくしゅ》なんですよ。あの方は聖地を守る神官という役職についてまして、聖地にほとんどひきこもっています。時々外へ出て来たかと思えば、気の向くままに城内を歩くのでどこにいるのか全く見当がつかないんです」

「え……何それ徘徊《はいかい》?」

「王女様みたいな方ですね」

「ひどい、メラニー。私の徘徊は意味のある徘徊よ!」

「徘徊してるってとこは否定しないんですね。つか、意味って言っても覗きじゃないですか」

ヒルベルトは嘆息《たんそく》して頭を振った。

「とにかく、ベネディクト様に会うことはあきらめて、今日のところは帰りましょうよ」

遠くに見える城門へ顔を向け、ヒルベルトはティファンヌを振り返る。

そこにはすでに、ティファンヌどころかメラニーの姿さえなかった。


一瞬にしてヒルベルトを置き去りにしたティファンヌは、裏庭を目指して側庭を歩いていた。

ベネディクトが普段こもっているという聖地が城の裏側にあるからだ。どこにいるか分からない相手を探すときは、目的の人物が基点とする場所を中心に探した方が見つかりやすい。

聖地というのは、アレサンドリ王家の始祖である光の神が降り立った地とのことで、王族以外は立ち入り禁止のため絶対に近寄らないように、と言われている。

ティファンヌ自身、神様云々《うんぬん》には全く興味がなかったため、向かおうとも思わなかったのだが、まさか聖地を守る神官である王弟ベネディクトにあんな素敵ロマンスがあっただなんて予想外だった。

「王弟殿下は、どのような方なのかしら。きっとまぶしいくらいにきれいな方なんでしょうね」

兄である神国王も、甥《おい》である王太子も第二王子も、皆が皆眼が眩《くら》むほどの美貌《びぼう》を備えているのだ。ベネディクトも相当な美丈夫《びじょうふ》に違いない。

想像を膨《ふく》らませていると、背後を歩くメラニーが当然の問いを口にした。

「お会いしたことがないのですか？」

「そうなのよ。初めて神国王に拝謁《はいえつ》した時もいらっしゃらなかったし、毎朝のお祈りの時も神殿へいらしたことはなかったわ。これは私の予想だけれど、聖地を守る神官なのだから、聖地で朝の祈りを捧げているんじゃないかしら」

「なるほど。それならば説明がつきますね。ですが、お会いしたことのない相手を見つけられるのでしょうか？」

「それは心配ないと思うわよ。アレサンドリ王家はとにかく目立つから。見つけたらすぐに気づくわ」

ティファンヌの予想は、見事的中した。

アレサンドリ王城の庭の広さを前にティファンヌの体力が心もとなくなってしまい、裏庭の中心に位置するバラ園で少し休憩しようとしていた時である。バラ園の中央に建つ東屋《あずまや》に、白金の長い髪をきらめかせる神官を見つけたのだ。

ティファンヌとメラニーはすぐさま姿勢を低くして、色とりどりに咲き誇るバラにまぎれながら神官との距離を詰める。ある程度近づいたところで、ティファンヌは懐《ふところ》から眼鏡《めがね》を取り出した。

丸くくりぬかれた視界に映る神官を見て、ティファンヌは彼こそがベネディクトだと確信した。エミディオにそっくりな美丈夫だったからだ。

緩く編んだ長い白金の髪は絹糸のようにつややかで、磨《みが》きぬいたアメジストのような瞳、柔らかな弧を描く薄い唇など、ひとつひとつの顔のパーツは甥のエミディオとそっくりなのに、ベネディクトの纏《まと》う雰囲気《ふんいき》はとても柔らかく穏やかだった。

アレサンドリ王家の人々は太陽のように輝かしい美しさを持っていると思っていたが、ベネディクトは太陽というより月だ。すべての人を引き付けて離さない強さではなく、静かに闇を照らして心を落ち着かせる、包み込むような優しさを感じた。

神国王やエミディオとは対照的な空気を纏うベネディクトが、聖地を守る神官として王族とはまた別の角度から国を支えている。それだけで、現在のアレサンドリ王家がいかに盤石であるかを察したティファンヌは、長い長いため息をこぼした。

「父様は、いつかこの国を攻めるつもりなのでしょうね」

謀反《むほん》を起こしてヴォワールを手に入れてからの七年間、ティファンヌの父はただ静かに国の混乱を鎮《しず》めていたわけではない。国の乱れに紛《まぎ》れて、長年併合《へいごう》できなかった周辺の小国をいくつかつぶして呑《の》み込んでいた。

ティファンヌの父は野心家だ。七年前に謀反を成功させたこともあり、驕《おご》り高ぶってもいる。きっと近い将来に他国への侵攻を始めるだろう。アレサンドリは隣国の中でも豊かな国だ。喉《のど》から手が出るほど欲しいに違いない。

一カ月後にティファンヌが渡す情報が、遠くない未来で争いに利用される。国力が乏《とぼ》しいヴォワールが勝つ見込みはまずないというのに、アレサンドリの平穏を脅《おびや》かすのだろう。

本当に、ヴォワールへ情報を渡していいのだろうか。こんなにのどかで暖かな国を危険にさらしていいのだろうか。アレサンドリに来て一カ月。この国の人々を知れば知るほど、ティファンヌの心は揺れ動く。

考え事に夢中になってしまったからだろうか、眼鏡越しに見えるベネディクトが、ふとこちらへ顔を向けた。

「やばいっ」

ティファンヌとメラニーは慌てて姿勢を低くしたが、抵抗むなしく足音が近づいてきた。

「こんにちは、お嬢さん。こんなところで何をしているのですか?」

いたわるような声が降り注ぎ、縮こまってうつぶせていたティファンヌはゆっくり顔を上げる。満月のような神秘的な美を放つ男――ベネディクトが微笑《ほほえ》んでいた。

ティファンヌは観念して立ち上がると、スカートをつまんでひざを折り、淑女《しゅくじょ》の礼をする。

「お初にお目にかかります。私はティファンヌ・フォン・ヴォワールと申します」

「やっぱり、君が噂《うわさ》のティファンヌさんだね。私はベネディクト・ディ・アレサンドリ。聖地を守る神官を拝命している」

やはりベネディクトだったかと得心する頭の片隅で、噂のって、いったいどんな噂を耳にされているのですか、と問いかけたくなった。

「女性二人だけかい？　護衛の騎士は？」

「ええっと……はぐれてしまいました」

置き去りにしました、とは言えない。

ベネディクトは瞬きを繰り返した後、ティファンヌの斜め後ろに立つメラニーを見る。

「うん。そちらの侍女《じじょ》さんは腕がたつようだし、心配ないか」

思いがけない言葉に、さすがのメラニーも驚きを隠せないのか、エプロンをきゅっと握りしめていた。メラニーの強さを一目で見抜いてしまうだなんて、穏やかそうに見えてただものではないのかもしれない。

「それにしても、巫女様の言う通り、君は程よい数の光の精霊を連れているね」

「え……ベネディクト様も、精霊が見えるのですか？」

「そうだね。君を見つけたのも、精霊が教えてくれたんだよ」

ティファンヌは納得した。先ほどベネディクトとの視線の合い方が、ビオレッタに見つかるときと似ていたからだ。精霊の存在についてはまだまだ半信半疑なティファンヌだが、ベネディクトやビオレッタは、不思議なものの見え方がするのだろうと理解した。

せっかくだから少し話をしようと誘われて、ティファンヌは先ほどまでベネディクトがたたずんでいた東屋へと移動した。

「今日はどうして城へ？　レアンドロに会いに来たのかな」

「はい。昼食のお弁当を届けに来ました」

「お弁当？　それは、いい考えだね。ディアナさんにお弁当を持ってきてもらおうかな」

ディアナと聞いて、ティファンヌの目が輝く。

「ディアナさんというのは、奥さまですか？」

すかさず問いかけると、ベネディクトははにかむように表情を緩めた。

「未来の、がついてしまうけれど。つい最近婚約したばかりでね。一緒に住み始めたんだ」

「それでしたら、私と一緒ですね」

残念ながらティファンヌは一緒に住んでいるとは言い難い状況だが。同じ屋敷へ移り住んだ、という点では同じはずだ。

「婚約者様とはどのように知り合ったのですか？　やはり、私のように政治的な理由で？」

「いや、私はさっさと王籍を外れて神官として生きていたからね。政治に全く関わっていないんだよ」

「まぁ。それでは、お互いを恋い慕《した》って？」

ティファンヌはわざとらしく驚いて見せながら、じわじわと核心に近づいていく。すると、ベネディクトが「こ、恋っ……」ともらして顔を真っ赤にさせた。そのまま口をはくはくさせて何も言わなくなってしまったベネディクトを観察しながら、ティファンヌは思う。

なんだこの純粋培養《ばいよう》箱入り男は!?　純情!?　純情か!?　確か今日読んだ記事によると三十路《みそじ》に突入しているはずだが、この初々しい反応はなんなのだろう。

ティファンヌの脳内で疑問が飛び交っている間に、何とか平静を取り戻したベネディクトが、きまり悪そうに視線を泳がせつつ、頬《ほお》をかいた。

「取り乱して申し訳ない。私はどうも色恋に疎《うと》いらしくて……彼女を愛していると気づいたのも、つい最近だったんだ」

なんと！　七年間越しの愛というのは、無自覚の恋だったらしい。本人の知らぬ間に、胸の奥底で想いを育《はぐく》んでいた的な!?　というか、さっきは恋い慕うという単語にあれほど過剰反応していたのに、自分から愛しているというのは平気だなんて、意味が分からない。

「六歳のフェリクスの方が早く気づいていたくらいなんだよ。いやぁ、子供の洞察力というのは、侮《あなど》れないいね」

「あぁ、私とディアナさんの子供だよ。とってもかわいくて賢い子さ」

「フェリクス?」


まさかの子持ち宣言に、ティファンヌは一瞬気が遠くなった。

ティファンヌはロマンス小説のような甘く切ない身分差の恋を期待していたのに、えらくただれた話が飛び出してきた。自分の気持ちは把握《はあく》していなかったくせに、やることはやっていたということか? 六歳ということは、出会ってすぐに? 最低だな!

……いや、待て。もしかしたら、公爵夫人に収まりたいと野望を抱いたメイドの七年にわたる策略!? まさかのディアナ悪女説!?

ティファンヌはベネディクトをあらためて観察する。政治から離れているためか、ベネディクトは兄の神国王や甥《おい》のエミディオと違ってどこかのんびりとした空気を纏《まと》っている。強《したた》かな女性にうっかり捕まってしまっても仕方がない気がする。

しかし、だ。そんな悪女にベネディクトが捕まるのを、周りがみすみす見逃すだろうか。ディアナという女性は、悪女ではあるが周りを納得させるほどの女傑《じょけつ》だということか?

これはもっと多方面から調査しなくては、とティファンヌが心に決めていると、ベネディクトが「ふふっ」と声を出して笑った。

「そのうち、君にディアナさんを紹介するよ。きっと彼女も、君に会いたがると思うから」

ティファンヌがディアナに会いたがるのならまだしも、ディアナがティファンヌに会いたがるとは、いったいどういうことなのだろう。

　訳が分からず、ティファンヌが答えられずにいると、「ティファンヌ様いたああああああ！」という叫びが飛び込んできた。声に誘われるまま視線をよこせば、バラ園の入り口に激しく息を切らしたヒルベルトが立っていた。

「どうやら、お迎えが来たみたいだね。では、私はこれで失礼するとしよう」

　立ち上がったベネディクトに合わせ、ティファンヌも慌てて立ち上がる。

「あ、あのっ、婚約者様とは、いつ会わせていただけますか？」

「そうだねぇ。君の周りがもう少し落ち着いてから、かな」

　ベネディクトはいたずらを思いついた子供のような笑みを残して東屋から去っていった。

　ベネディクトと入れ替わるように東屋へやってきたヒルベルトは、屋根を支える柱にもたれかかりながら呼吸を整えつつ、遠ざかっていくベネディクトの背中を見つめる。

「どうやら目的は完遂《かんすい》できたようですね。あぁーもうっ。本当に俺の首が飛ぶかもしれない。ベネディクト様、黙っていてくれないかなぁ、無理かなぁ」

　柱にもたれかかったまま、ヒルベルトは頭を抱えた。

「大丈夫よ。たまたまはぐれただけだと説明したし、あなたが私を必死に探していたのは見ればわかるわ。それになんだか、私のことを知っているみたいだったのよね。もしかして、何か変な噂とかたってる？」

「ええ？　騎士団の中ではレアンドロ様の婚約者として有名ですけど、ベネディクト様の耳には届かないと思いますよ。ベネディクト様は光の巫女様と交流がありますし、そこから聞いたのでは？」

そういえば、ビオレッタからティファンヌの話を聞いていると言っていた。一応は納得するものの、何となく、ビオレッタ以外からも話を聞いているような気がする。噂に聞くというからには、複数の人間から話を聞いているのではないだろうか。

疑問は尽きなかったが、ティファンヌはあえて考えないことにした。ベネディクトはそのうちディアナに会わせると言っていた。つまり、彼と会う機会が近いうちにあるということだ。そのとき、誰から自分のことを聞いたのか探りを入れてみよう。

当初の目的である『ベネディクトに会う』は達成できたので、ティファンヌはヒルベルトに促《うなが》されるまま屋敷へと帰った。

あくる日、ディアナに関する情報を集めるため、ティファンヌは昨日に引き続き城へお弁当を届けに来た。相変わらず、優秀な執事ハビエルはレアンドロに連絡していたらしく、城門でヒルベルトが待っていた。

「ティファンヌ様、よくぞいらっしゃいました。レアンドロ様は昨日の誘拐未遂《ゆうかいみすい》のせいで光の巫女様の傍を離れられないため、先に部屋で待っていてほしいとのことです。俺が案内しますね」

「あら、そうなの？　だったらお弁当をヒルベルトに預けて、私はさっさと情報収集にいそしもうかしら」

「やめてくださいよ！　ただでさえ昨日ティファンヌ様のお弁当を食べそこなったせいで大変だったたってのに。今日こそ一緒に食べてもらわないと俺たちの身が持たないんですよ」

「何言っているの。ヒルベルトが自分から要らないと言ったんでしょう。欲しかったなら素直に言えばいいのよ。ほら、今日も多めに作ってきたから遠慮《えんりょ》せずにどうぞ」

　この場でバスケットを開けようとするティファンヌを、ヒルベルトは大慌てで止めた。

「やめてくださいよ！　食べたいなんて俺は一言も言っていないでしょう。どうしてそういう斜め上の考え方をするんですか！」

「だって、お弁当を食べそこなったたって……」

「それは俺じゃなくてレアンドロ様のことです！　あぁ、もうやだ、この人。変な妄想はたくさんするくせに、肝心《かんじん》なところが全然わかってない」

「失礼ね。私がしているのは妄想ではなくて想像よ！」

「そこ突っ込むんですね」

ヒルベルトは脱力して頭《こうべ》を垂れるのだった。

ヒルベルトの先導で騎士棟へやってきたティファンヌは、すれ違う騎士や兵士を見て、あることに気付く。

「なんだか……皆の元気がないというか、疲れているような気がするのだけれど、何かあったの?」

「あぁ、ありましたね……とくに、ティファンヌ様のサンドイッチに手を付けた奴らは」

「ええっ?　まさか……お腹を壊したの!?」

新鮮な食材しか使用しなかったし、同じように食べたティファンヌやメラニーに体調の変化は全くなかったはずだ。もしかして、時間の経過で食材が傷んだのだろうか?

「王女様、アレサンドリはヴォワールと違って食材に恵まれています。私たちのように腐る直前の食材を口にすることはないでしょうし、胃腸も弱いのでは」

「違いますよ!　遠征中の騎士の食事環境を舐《な》めないでもらえますか!」

「よかった、お腹を壊したんじゃないのね。でも、それじゃあどうしてあんなにやつれているの?」

先ほど部屋から出てきた騎士などは、ティファンヌの顔を見るなり部屋の中へ引き返してしまった。ティファンヌのせいで体調を崩したのでないなら、どうしてあれほどまでに恐れられるのだろう。

「それはですねぇ、昨日、レアンドロ様はティファンヌ様のお弁当を食べるつもりだったんですよ。それなのにティファンヌ様は他の騎士たちに配ってしまうから……」

「ヒルベルト」

背後から声がかかり、前を歩くヒルベルトが身体《からだ》をこわばらせて立ち止まる。同じように立ち止まったティファンヌが声の主へと振り向けば、メラニーの背後にレアンドロが立っていた。

「ティファァをここまで案内してくれてありがとう。後は私がやっておく。お前は仕事に戻れ」

「は、はいぃ！　失礼いたします」

レアンドロは笑顔でヒルベルトをねぎらっているのに、どうしてだろう、ティファンヌは背中がうすら寒くなった。

逃げ去るようなヒルベルトの背中を見送っていると、ティファンヌが胸に抱えていたバスケットが宙に浮いた。

「私が持ちましょう」

いつの間にかティファンヌの隣に立っていたレアンドロが、バスケットを片手で持って笑いかける。その背後に花が咲き乱れる幻覚を見たティファンヌは、うつむいてお礼を言った。

レアンドロの部屋で持ってきた弁当を広げ、二人は昼食を食べ始める。

昨日に引き続き、ティファンヌはレアンドロに手ずからサンドイッチを食べさせることになった。

実は昨日、ティファンヌは屋敷に帰ってからサンドラに確認した。本当に、アレサンドリの夫婦は妻が夫の口元まで食事を運ぶのかと。

いまだに信じがたいことなのだが、サンドラはうなずいた。常ではないのだが、夫が望んだ場合、妻は従わなければならないらしい。

それがアレサンドリの常識であるなら、アレサンドリへ嫁いできたティファンヌとしては倣《なら》う他ない。緊張で震える指先で何とかパンをちぎり、レアンドロの口へ運んでいく。時折パンだけでなく指先まで食べられてしまうのが恥ずかしくていたたまれない。

これだけでもティファンヌとしてはいっぱいいっぱいだったのに、レアンドロまでティファンヌの食事の世話をしようとするから手に負えない。

これもアレサンドリでは常識なのだとサンドラからすでに聞いているから従うけれど、レアンドロの固い指先がつまんできたパンを口で受け取るだなんて、どんな拷問《ごうもん》か。指を嚙《か》んでしまわないよう細心の注意を払っているというのに、ごくまれに指先が唇に触れていくのが心臓に悪い。破裂するんではないかと思うほど強く打っている。

こういう時こそ、騎士が呼びに来てくれないかと期待するのだが、今日はエミディオにビオレッタを任せてきたらしく、最初から最後まで救いの手は訪れることなく、サンドイッチは無事レアンドロとティファンヌの腹に収まったのだった。

「明日、王都の教会へ……私が？」

心臓に悪い昼食を終えてメラニーが淹《い》れたお茶を味わっていた時だ。ビオレッタよりの伝言で、明日王都の教会で祝福を授ける際、一緒にいてほしいそうだ。そういえば、ビオレッタが望むなら王都の教会へお供すると約束していたな、と思い出す。

「昨日の誘拐未遂事件で、光の巫女様は精神的に不安定となっています。もともと巫女様は人前に立つことを苦手とされる方ですので、光の精霊を連れるティファァは慰《なぐさ》めになるのだと思います。私からも、お願いします」

「私は構いませんよ。一度、祝福というものを見てみたかったので」

「ありがとうございます。いつもいつもあなたに甘えてばかりで申し訳ありません。昨日も、せっかく来ていただいたあなたを置いて、巫女様のもとへ向かうことになってしまいました」

「そんなこと、気になさらなくていいのに……」

初めて会った時に『二番目宣告』をされたときの衝撃に比べれば、訪ねた先で放置されるくらい平気ですよ、とはさすがに言えない。

「私が結婚を考えていなかったと言いましたよね。それは、妻となる方に、我慢を強《し》いることが分かっていたからなんです。私の剣は、もう巫女様へ捧げてしまいましたから」

レアンドロはいざというときすぐに持てるよう、ソファに立てかけてある剣を見つめた。どこか満ち足りたその表情を見て、胸が痛まないわけじゃない。やはり、物語で綴《つづ》られるような恋に憧れはあるから。

でも、恋が生まれなくとも、夫婦の間に愛が生まれることは知っている。

「大好きなお姉さまが、昔、私に教えてくれたんです。夫が大切だと思うものを大切にしなさい。夫が前へ進めるよう支えなさい、と」

リディアーヌは夫である王太子を支え続けていた。ヴォワールの改革という大きな夢を描く義父と夫を、それこそ夢破れて倒れるその瞬間まで。

「だから私は、レアンドロ様と一緒に光の巫女様を守れたらと思います。弱い私にできることは少ないでしょうが、光の巫女様に何かあったときに、レアンドロ様が迷いなく巫女様を守れるよう、精一杯支えていきたいです」

自分にリディアーヌのような生き方ができるとは思えないけれど、自分なりに、できる精一杯でレアンドロを支えていきたい。

レアンドロはしばしティファンヌを見つめて、どこか面《おも》はゆそうに微笑《ほほえ》みながらお礼を言った。

翌日、ビオレッタの傍を離れられないレアンドロの代わりに迎えに来たヒルベルトに連れられて、ティファンヌは王都の教会へやってきた。ビオレッタが待機しているという控えの間までやってきてヒルベルトが扉をノックすると、レアンドロが対応に出てきた。

「ようこそいらっしゃいました、ティファ。さぁ、中へ入ってください」

促されるまま、ティファンヌは控えの間へ入る。

「光の巫女様、本日はお招きいただきありが――ひぃっ！」

ティファンヌはまず、淑女《しゅくじょ》の礼をしながらビオレッタに挨拶《あいさつ》しようとした。しかし、ビオレッタを視界に入れたとたん、引きつった悲鳴を上げて固まった。

ティファンヌの視線の先、テーブルの下に、うずくまるビオレッタがいた。

ビオレッタは頭から真っ黒い布を被り、どこか遠くを見つめてぶつぶつと独り言をつぶやき続けている。布の隙間《すきま》からこぼれる金の髪はボサボサで、目の下には濃いくまが確認できた。

光の巫女という名にふさわしい光輝く美貌《びぼう》を誇っていたビオレッタが、いまは物語の魔女のようにほど暗くよどんだ空気を全身にまとわりつかせている。

「こ、これはいったい……」

「人前に立つことを苦手とされる巫女様は、もともと祝福を授ける直前は精神的に不安定になるのです。今まではそれでも何とかなっていたのですが、今回はその微妙なタイミングで兵士が誘拐未遂《みすい》を起こしてしまい……」

「それで、あんなことに？」

「はい。状況を重く見たエミディオ殿下が今回の祝福は延期にしようとしたのですが、光の巫女様が延期にしたくないとおっしゃったのです」

「それで、せめてもの慰めとして私を？」

「その通りです」と頷《うなず》いて、レアンドロはビオレッタのもとへ向かった。少し離れた位置に膝をついて、ビオレッタに優しい声音《こわね》でティファンヌが来たことを伝えるレアンドロを見つめながら、ティファンヌは後ろで控えるヒルベルトへと身を寄せる。

「ねぇ、どうしてあんなことになっているの。誘拐未遂なら、いままでに何度もあったはずでしょう。それなのに、どうして今回に限ってあんなことに？」

ティファンヌが知る限り、ビオレッタは三日に一度の頻度《ひんど》で誘拐されかかっている。そのどれもレアンドロが華麗《かれい》に救出したと聞いている。

そこまで考えて、はたと思い出す。

「そういえば、あのときの誘拐未遂の時、レアンドロ様は私と一緒にいたわ。もしかして、レアンドロ様がいなかったせいで救出に時間がかかり、巫女様の心に傷が⁉」

青ざめるティファンヌへ、ヒルベルトは「違います、違います」と緩《ゆる》く否定した。

「レアンドロ様は今、光の巫女様の警護方法について見直しを行っているんです。今のままだと、四六時中レアンドロ様がついていないとダメでしょう？　それを何とか変えたくて、試行《しこう》錯誤《さくご》していたんですよ」

「それって、この間言っていた鬼のしごきと関係がある？」

「あります。大ありです。レアンドロ様は騎士が精神的にたるんでいるから光の巫女様に魅了されると考えて厳しい訓練を行ったんです。そのうえで、護衛が誘拐犯になったとき用の護衛という役目を試験的に自分の部下に任せました」

「でも、努力もむなしく護衛が誘拐犯になったのよね。あら？　でも、それだったらレアンドロ様の役目を負った騎士が仕事をすればいいだけじゃない？」

「その護衛が誘拐犯になったとき用の護衛が、あろうことか第二の誘拐犯となり、二人の騎士が光の巫女様を取り合って争いを始めたそうです」

　想像を超えた展開に、ティファンヌは開いた口がふさがらなくなった。

「運よく通りがかったディアナ様が騎士二人を容赦《ようしゃ》なく鎮《しず》めたことで大事にはならずに済んだのですが、目の前で男二人が相手を殺す勢いで争う様《さま》を見てしまった光の巫女様は、あのような状態になったというわけです」

「……私、生まれて初めて地味でよかったと思ったわ」

「王女様は地味を通り越して存在感が希薄です。胸を張っていいですよ」

「最初に口にする感想がそれですか!?　普通違うでしょ。こう、レアンドロ様の努力が無駄になったとか、光の巫女様の不憫《ふびん》さとかを――」

「ティファンヌさあああああああんっ！」

　ティファンヌとメラニーのずれた感覚に物申そうとしていたヒルベルトの言葉をかき消して、ビオレッタがティファンヌの名を叫びながら駆けて来た。驚いたティファンヌがヒルベルトから前へと向き直ったと同時に、ビオレッタが体当たりする勢いで抱き着いてきた。あまりの勢いに、ティファンヌはつぶれたカエルのような声をもらした。

「あぁっ、ティファンヌさん、ティファンヌさんだぁ！　はぁん、相変わらず心地良い数の精霊を連れているのね。なんて優しい光なの。もうヤダずっとこうしていたい。この状態で祝福を授けちゃダメかしら」

「残念ですが、それはできかねます」

　レアンドロの答えを聞き、ビオレッタは「ふああああぁぁ……」と奇妙な悲鳴をもらしてしがみつく腕に力を込めた。ただでさえ苦しかったのにさらに締め付けられ、ティファンヌは声にならないうめきをもらした。

「光の巫女様、そのあたりでティファァを解放してあげてください。呻《うめ》いてます」

「ううっ、離れたくないよう」

　ビオレッタは力を抜くどころか離れまいとさらに力を込め、ひ弱なティファンヌは意識を遠のかせていった。

ティファンヌの命がけの献身により、精神の均衡《きんこう》を保てるまで立ち直ったビオレッタは、聖堂に向かう直前までティファンヌへ暖炉《だんろ》よろしく両手をかざしていた。

そのかいあって、ビオレッタは聖堂に集まった人々の前で見事な光の巫女を演じている。

王都の教会は、一言で言うなら絢爛豪華《けんらんごうか》な教会だった。至るところに金を施《ほどこ》し、精巧な絵が描かれたステンドグラスが透明な光を降り注がせる中、ビオレッタが言祝《ことほ》ぎを紡《つむ》ぐ様子を、ティファンヌはレアンドロとともに祭壇《さいだん》の端から見つめていた。

いよいよ祝福が始まるのか、教会を訪れていた人たちが、ビオレッタの前に並びだした。祝福を授かるのは、生まれたばかりの赤ん坊と、結婚した夫婦だ。人生の門出《かどで》を光の神に報告し、これからの未来が光で溢れるようにと祝福を授かる。

ビオレッタは両手を胸の前で握りしめ、目をつぶって祈りを捧げ始める。ビオレッタが口にする祈りはティファンヌの知らない言葉で、舌を転がすような、滑《なめ》らかで耳心地のいい、不思議な言葉だった。

『この地に生まれた新しい命に祝福を……』

目を開けたビオレッタが、握りしめていた両手をほどいて何かを掬《すく》い上げるように差し出すと、その手の上に光の粒が現れた。ビオレッタがあらかじめ何かを持っていたわけでも、誰かがその手に何か灯を渡したわけではない。光が手のひらに現れたのだ。

ビオレッタは人の頭ほどの大きさの暖かな光を両手に抱え、先頭で待つ女性のもとへ歩いていく。女性が大切そうに腕に抱く赤ん坊の顔を覗き込み、慈愛《じあい》に満ちた笑みを浮かべて「生まれてきてくれてありがとう」と語り掛け、その手に持つ光を赤ん坊の額へ落とす。ビオレッタの手を離れた光は、赤ん坊の額に染み込んで消えていった。

ひとり目が終わると、ビオレッタはすぐに祈りを捧げ、また新しい光を生み出して別の赤ん坊に授けていく。結婚した夫婦には、祝福の言葉とともに光の粉を振りかけていた。

目の前で繰り広げられる奇跡に、ティファンヌは言葉も失って魅入《みい》った。

ティファンヌは神など信じていない。どれだけ祈ったところで、ティファンヌを取り巻く現実は変わらなかったから。現状を変えてきたのはいつだって、ティファンヌの努力だったから。

七年前、リディアーヌをなくした時に、ティファンヌはもう、神に祈らないと心に決めた。どれだけ祈っても、奇跡は起きなかった。リディアーヌは助からなかった。

助からなかったのに――

どうして、いま、目の前で奇跡が起こっているの？

奇跡を起こすビオレッタがにじむ。彼女が放つ光がいくつも重なって見える。頬《ほお》を何かが伝うのを感じて、泣いているのだと気づいたけれど、ぬぐうことすらせずに目の前で起こる奇跡を見つめた。

ビオレッタが組んだ両手を広げる。光が生まれる。

ビオレッタが光をこぼす。光が溶けて消える。

ただそれだけ。それだけなのに、どうしてこんなにまぶしいのだろう。生まれてきた命に、人生の門出に、ただおめでとうと伝えるだけなのに、どうしてこんなにも胸が苦しくなるのだろう。

「ティファ」

優しく名を呼ばれ、横から伸びてきた手がティファンヌの視線を無理矢理ビオレッタから引きはがす。手に導かれるままに横を向けば、気づかわしげに見つめるレアンドロがいた。

「ティファ、どうして泣いているのですか？　あなたの涙を止めるために、私に何ができますか？」

ティファンヌは黙って首を横に振る。だって、レアンドロにできることなんて何もないから。

どれだけ祈ったところで、リディアーヌは帰らない。なくなってしまった命は、戻らない。

何も話そうとせずに静かに泣き続けるティファンヌを、レアンドロはその胸に抱きしめる。

震える身体《からだ》をなだめるように、ティファンヌの背を黙ってなでた。

ティファンヌはレアンドロの腕の隙間《すきま》からビオレッタが生み出す光を見る。

光が現れて、消える。ただそれだけ。

それだけの奇跡すら、ヴォワールにはない。

ティファンヌはレアンドロの背に腕を回し、その胸に縋《すが》って泣いた。

祝福が終わるころには、ティファンヌの涙も収まっていた。

無事に役目を終えたビオレッタとともに控えの間へ戻り、メラニーが淹《い》れてくれたお茶を口にする。ティファンヌの顔を見たビオレッタが心配したが、初めて見る奇跡に感動してしまったとごまかした。ビオレッタは何か言いたそうだったが、嘘を信じてくれた。

「今日は本当に、来てくれてありがとうございます。ティファンヌさんがいなかったら、私、役目を全《まっと》うすることはできなかったと思う」

「……いえ、私も祝福を見ることができてよかったです。アレサンドリの人々は幸せですね。生まれてきたことをたくさんの人に祝福してもらえるのだから」

光を授けたのはビオレッタだけれど、その場にいた全員が新しい命に、結婚した夫婦に「おめでとう」と口にする。そんな些細《ささい》なことだが、生き残るだけで精いっぱいだったヴォワールでは難しいことだった。

「私は、アレサンドリへ来てよかったです。こんな優しい世界があるんだと知ることができたから」

きっと、ヴォワールの先代王が作りたかったのはアレサンドリのような豊かな世界だ。生まれてきた命がすべて祝福される国。誰かの幸せを、素直に「おめでとう」と言える心。

先代王が王太子と、そしてリディアーヌと一緒に描いた夢は、力こそがすべてと考えるティファンヌの父によって踏みにじられてしまった。父がいる限り、ささやかな奇跡がヴォワールに降ることはない。

「ティファンヌさん」

名前を呼ばれ、無意識にうつむいていた顔を上げる。いつの間にかすぐ傍にビオレッタが立っていた。その手には、人の頭くらいの大きさの、温かみのある色味の光が浮いている。

「この世界へ生まれたあなたに、祝福の光を……」

先ほどまでの祝福の儀式とは違う、ティファンヌにもわかる言葉で言祝ぎを紡《つむ》いで、ビオレッタはティファンヌの額に光を降ろした。

「おめでとう、ティファァ」

「おめでとうございます、王女様」

「おめでとうございます、ティファンヌ様」

光とともに祝福の言葉がティファンヌに降り注ぎ、額に触れた光は感触すら残さずほどけて消えた。

「……ありがとう」

光の残滓《ざんし》が瞬く世界で、ティファンヌは泣き笑った。

涙が落ち着いたティファンヌは、メラニーが淹れなおしてくれたお茶を味わいながらとりとめのないおしゃべりをした。ビオレッタも光の巫女として大事な務めを果たせてほっとしたのか、二人の会話は思いの外弾んだ。

楽しい時間はあっという間に過ぎ、ビオレッタが城へ戻らなければならない時間になった。レアンドロは相変わらずビオレッタから離れられないので、ヒルベルトがティファンヌを屋敷へ送る。

メラニーとヒルベルトを連れて馬車に乗り込んだティファンヌは、行きと同じ道を通って屋敷へと帰る。来るときは聞こえなかった喧騒《けんそう》が気になり、窓の目隠しをずらして外の様子を見ると、馬車が走る大通りの端に屋台がいくつも並び、人々が思い思いに買い物をしていた。

ちょうど昼時だったこともあって、食べ物を扱う屋台がとくににぎわっている。薄い煙を立ち上らせて肉を焼く屋台が目に留まり、届くはずのない香ばしい匂《にお》いが漂ってきた気がした。

こらえきれず、ティファンヌが鼻をひくひくと動かしていると、それに気づいたヒルベルトがティファンヌの視線を追って「あぁ」と頷《うなず》く。

「あの屋台は、串焼き肉を売っているんですよ。特製ソースに漬け込んだ肉をその場で焼いていて、外はカリッと中は肉汁《にくじゅう》たっぷりでおいしいです」

勢いよく振り返ったティファンヌは、ヒルベルトをじっと見つめる。

「ヒルベルト……あなた、詳しいの？」

「こう見えて俺、騎士寮じゃなくて王都に家を構えているんです」

得意満面な顔でヒルベルトは言った。

「なるほど。男のひとり暮らしは外食が多いって、本当だったのね」

「ご飯を作ってくれる恋人もいない寂しい男の強い味方なのですわ」

「放っておいてください！　せっかくおいしい屋台を教えてあげようと思ったのに。もう知りません」

ヒルベルトはティファンヌたちから顔を背けた。

「ヒルベルトったらよりどりみどりだからひとりに絞れないのね。なんて女泣かせなのかしら」

「なんてったって、その若さで王都に家を構えられるほどの収入です。世の女性が放っておきませんわ」

「貴族出身でもないのに私の護衛を任されるだなんて、上司であるレアンドロ様に信頼されているのね」

「一国の王女の専属護衛だなんて、近衛《このえ》騎士の花形ではありませんか。田舎《いなか》のご両親はヒルベルトを誇りに思っていることでしょう」

ヒルベルトはあからさまに褒《ほ》めちぎる二人をちらりと見つめ、すまし顔で振り返る。

「なんて分かりやすい変わり身……まぁ、悪い気はしないんで、俺の一押しの屋台を教えて差し上げましょう」

「よし、任務完了ね」

「ヨイショを要求するなんて、器《うつわ》の小さい男ですね」

「本当に変わり身が早いな！」

さっさと手のひらを返してしまったティファンヌたちにヒルベルトはこらえきれず吠《ほ》える。

しかし、約束通り一押しの屋台を教えてくれたのだった。


ヒルベルト一押しの屋台は、大通りから少し離れた広場に店を構えていた。広場までの道が少し細いため馬車での移動は難しい。ヒルベルトは自分が馬車を降りて買ってくると申し出たのだが、せっかくならでき立てをいただきたかったので、渋るヒルベルトを説き伏せてティファンヌは馬車を降りた。

家が密集する地域にぽっかりと穴が開いたかのように、目的の広場は存在していた。芝生《しばふ》の広場を囲って植樹してあり、木陰にはベンチがいくつか置いてある。広場を囲う木々は大きく、さらに密集しているため、まるで町の中に森が存在するみたいだった。

ヒルベルト一押しの屋台は、広場の入り口に店を出していた。このあたりは職人街らしく、職人たちが昼食を買いにこの屋台を訪れるそうだ。ティファンヌたちが店を訪れたときにはピークは過ぎていたらしく、屋台の周りはとても静かだった。

「おっ、ヒルベルトいらっしゃい。女連れとは珍しい。しかもいいところのお嬢さんじゃないか。おいおいヒルベルト、もっとしゃれた店に連れていく甲斐性《かいしょう》はないのか？」

「んなっ、ちょっ、やめてくれよ、おっさん！　この方はそんなんじゃなくて、上司の奥方、護衛の仕事中なの！」

ヒルベルトを見るなり、店主は気のいい笑顔で彼をからかい、からかわれたヒルベルトは大げさなほど腕と首を振って否定した。ヒルベルトの焦りっぷりがよほど面白かったのか、店主は声を上げて笑っていた。

屋台で売っていたのは、焼いた肉と野菜をパンで挟んだものだった。肉は焼く前に煮込《にこ》んであったらしく、ほろほろと身が崩れてたれの味と香りが口いっぱいに広がった。少し塩気が強く感じたが、肉を挟んでいるパンがほんのりと甘くちょうどいい。もっちりとしたパンの触感も、甘さを引き立てていた。

「うぅ～ん、おいしい！　さすがヒルベルトの一押しね！」

木陰のベンチに座って、ティファンヌはパンを頬張《ほおば》りながら体をくねらせる。

「ティファンヌ様は本当に変わっていますね。王女様はこんな庶民《しょみん》の食べ物を口にしないと思っていました」

大口を開けて分厚いパンにかぶりつくティファンヌを見て、ヒルベルトは感心した。

「さすがに、人目があるところでかじりつくなんてできないけれど、ここには私たちしかいないのだから気にしないわ」

普段食べるシェフやサンドラが作った上品な料理ももちろんおいしいが、屋台には屋台の良さがあるとティファンヌは常々思っている。

「王女様は、昔から屋台料理が好きでしたものね」

「よく二人で城下町を食べ歩いたわよね。アレサンドリでも食べ歩きをしたいわ。他にもおいしいものがたくさんあるのでしょうね」

ありがたいことに、ハビエルとサンドラがせっせと世話を焼いてくれるため、外で食事をとる機会が巡ってこない。誠実に役目を全うしようとする彼らの手前、ティファンヌも外食したいと言い出せないのだが、そのあたりは時間をかけて機会をうかがおうと思っている。

肉を挟んだパンを残さず腹に収めて満腹になったティファンヌは、風になびく木々のさざ波に耳を傾けていた。瞼《まぶた》を閉じて、無数の葉が奏でる爽《さわ》やかな音を楽しんでいると、ふと、人の気配に気づいて目を開ける。

「メラニー」と小さな声をかけると、隣に腰掛けるメラニーが「分かっております」と答える。

「気配は背後の木々からです。囲まれる前に、馬車まで駆け抜けてしまいましょう。王女様、走り切れますか？」

ティファンヌが「たぶん……」と正直に答えると、「途中で動けなくなったら俺が担《かつ》ぎます」とヒルベルトは笑った。いつもと変わらない笑顔が、いまはとても頼もしかった。

「それでは、私の合図で行きますよ。三、二、一……走って！」

メラニーの声に合わせ、ティファンヌは走り出す。ヒルベルトが先を走り、ティファンヌが遅れないようメラニーに手を引かれながら草原を走った。すぐさま背後で怒鳴り声がいくつか響き、広場の出入り口では進路をふさぐように木々の間から二人の男が飛び出してきた。

先を走るヒルベルトが腰に佩《は》く剣を抜こうとしたとき、横から飛んできた白いパンが男たちの顔にくっついた。

「あっちぃ！」

男たちは叫び声をあげてその場にうずくまり、ティファンヌたちは彼らの間をすり抜ける。

「おっさん、ありがとう！」

「おう、仕事頑張れよ」

屋台の前を駆け抜けるティファンヌたちを、店主は新しいパンを鉄板で焼きながら見送った。

広場を抜けたティファンヌたちは、馬車がある大通りまで細い道を進む。馬車にさえ乗ってしまえば、向こうも手出しができなくなるはずだ。

背後の足音が近づいてくるのをひしひしと感じて、ティファンヌは決して後ろを振り返るまいと心に決めながら、もつれそうになる足を必死に動かす。しかし、この角を曲がれば馬車が見えるというところで剣を構える四人の男たちに出くわし、驚いたティファンヌは足をもつれさせて転んでしまった。

「ティファンヌ様！」

ヒルベルトが駆け寄り、うずくまるティファンヌの腕をつかんで立ち上がらせる。その傍で、メラニーはエプロンの下から組み立て式の棍棒《こんぼう》を取り出していた。そうこうしている間にも背後を走っていた男たちが追い付き、退路さえもふさいでしまう。

挟み撃ちにされ、メラニーとヒルベルトはそれぞれがティファンヌを背後に隠す形で前後の敵と対峙《たいじ》する。じりじりと距離を詰めていた男たちが一斉に襲い掛かり、メラニーとヒルベルトは武器をふるった。

メラニーもヒルベルトも刺客《しかく》に引けはとらない強さを誇っているものの、一対多数で、しかも背後のティファンヌを守りながらのため分が悪い。相手も格好こそみすぼらしいごろつきだが統率されており、代わる代わる攻撃を仕掛けて二人を翻弄《ほんろう》し、とうとうひとりがメラニーの脇をすり抜けてしまった。

「王女様！」

メラニーの焦った声を背負って、剣を構えた男がティファンヌへと走り込んでくる。ティファンヌは逃げようと駆け出すも、前後を敵に挟まれたこの状況ではすぐに壁に追い詰められた。

逃げ道を失ったティファンヌの前で、男は剣を振りかぶる。

「ティファンヌ様！」

声と同時に、ティファンヌを誰かが横から突き飛ばした。倒れたティファンヌにヒルベルトが覆《おお》いかぶさり、その左腕に剣の切《き》っ先《さき》がかすめる。ティファンヌの目に、赤く濡れた剣先が見えた。

ティファンヌを仕留めそこなったと分かるなり男はもう一度剣を振り上げ、すぐさま身を起こしたヒルベルトが自らの剣で追撃を受け止める。剣を打ち付けあったまま二人はつばぜり合いを始め、男が真上から体重をのせて押しつぶそうとしているのに対し、ヒルベルトは傷ついた左腕も使って何とか受け止めていた。ヒルベルトの左腕の傷から血が滴《したた》り、地面に赤い斑点《はんてん》が広がるさまを、ティファンヌはうずくまったまま見つめるしかできない。

「くっ……そがぁっ！」

ヒルベルトは吠えるように叫んで男の剣を横へいなし、男が姿勢を崩したところへ体当たりをした。男がふらついて数歩後ずさり、すかさずメラニーが棍棒でたたき伏せる。

「お二人とも、こちらです！」

進路をふさいでいた男たちを片付けたメラニーが叫ぶと、剣をしまったヒルベルトはティファンヌを右肩に担ぐ。突然のことに驚いたティファンヌは、不安定な身体《からだ》を支えるためにヒルベルトの頭にしがみついた。

「すみません、ティファンヌ様。片手しか使えないので、少しの間我慢してください」

　ヒルベルトは鮮血を滴らせる左腕を力なくぶら下げながら、右腕一本でティファンヌを担いで走る。ヒルベルトの走った道を赤い点がなぞり、それをメラニーがたどる。

「すぐに馬車を出せ！」

　ティファンヌを担いだままヒルベルトは声を張り上げて馬車に乗り込み、メラニーもそのあとに続く。メラニーが扉を閉めると同時に、御者《ぎょしゃ》は鞭《むち》をふるって馬を走らせた。


　屋敷まで戻ってきたティファンヌは、ヒルベルトを屋敷の中へ運び、医者を呼んで治療を受けさせた。幸いなことに、出血の割に傷は浅く、二週間もすれば傷がふさがるだろうと言われた。それでも、二、三日は安静が必要である。

　ヒルベルトの治療を終えた医者を玄関でお見送りしていると、血相を変えたレアンドロが帰ってきた。

「ティファァ！　ティファァ、無事か!?」

　遠乗りの時に乗せてもらった黒鹿毛《くろかげ》の馬に乗って現れたレアンドロは、玄関で医者を見送っているティファンヌを見つけるなり馬から飛び降り、駆け寄ってケガがないか確認し始めた。

「レアンドロ様、どうして、ここに？」

「あなたが襲われたと聞いた。医者を呼ぶなんて、どこかケガをしたのですか!?」

「い、いえ、私ではなく、ヒルベルトです。私を庇《かば》って、ヒルベルトが……」

きちんと説明しなくてはと思うのに、ティファンヌは声が詰まって続きが言えなかった。そんなティファンヌの様子を見たレアンドロは、彼女を抱きしめる。

「そうか、ヒルベルトがケガを……。ですが、大丈夫ですよ、ティファ。ヒルベルトは私の部下です。普段から鍛えてありますから、多少傷ついたところで死んだりしません」

レアンドロは子供に言い聞かせるような優しく明るい声で話し、背中をぽんぽんとあやすように叩く。心臓の音に合わせたそのリズムが、ティファンヌの張りつめた精神をやわらげ、ずっとこらえていた涙がほろりとこぼれた。

「ごめ、なさ……ごめんなさいっ……」

「ティファ?」

「わた、私の……せいなんです。私が、馬車を降りると言い出したんです。私のせいで、ヒルベルトが……」

「ティファ、大丈夫、大丈夫だから」

いまさらながら震えだすティファンヌを閉じ込めるように、レアンドロは回す腕の力を強めた。

「ヒルベルトの仕事は、あなたを守ることです。騎士として役目を全《まっと》うし、あなたを守り抜いたんです。だからどうか、謝らないで。伝えるならば謝罪ではなく、感謝を」

感謝——その通りだとティファンヌは思う。

ヒルベルトは騎士として、ティファンヌを守り抜いた。自らの身体が傷ついてもティファンヌを優先し続けたのは、ヒルベルトが立派な騎士だから。

騎士の誇りにかけるべき言葉は、謝罪じゃない。あなたのおかげで無事だったよと、ありがとうと伝えるべきだろう。

ティファンヌはレアンドロの胸から顔を上げ、海の底のような濃紺《のうこん》の瞳を見つめた。

「レアンドロ様、ありがとうございます。あなたがヒルベルトを私につけてくれたおかげで、私はケガをせずに済みました」

「……そうですね。あなたが無事で、本当によかった」

優しい表情なのに、なぜだかティファンヌの胸を苦しくさせる笑顔を浮かべて、レアンドロはティファンヌの前髪を優しく払い、現れた額に口づけを落とした。


ティファンヌ強襲から二日が経った。

「ヒルベルト、はい、あーん」

ヒルベルトの口元に、スプーンが差し出される。スプーンには、スープに浸したパンが載っている。

「結構です」と、ベッドに身を起こしていたヒルベルトは顔を背けた。

「あら、熱くて食べられないの？　仕方がないわね、ふぅー、ふぅー……ほら、これでもう大丈夫よ。はい、あーん」

「要らないって言っているでしょう！　ケガをしたのは左腕であって、利《き》き腕は使えるんですって何度言ったら分かるんですか。まさかいやがらせ!?　いやがらせされてるの俺!?」

「ひどいわ、ヒルベルト！　私を守るためにケガをしたあなたを労《いたわ》ろうとしているのに」

ベッドの脇に椅子《いす》を持ってきて、かいがいしくヒルベルトの食事の世話をしようとしていたティファンヌは、わざとらしいほどに落ち込んで見せた。悲しそうな顔で首を垂れる姿は見る者に罪悪感を誘ったが、しかしヒルベルトは惑わされなかった。

「ひどいのはそっちでしょう！　せっかく命が助かったっていうのに、こんなところをレアンドロ様に見られたら、俺の首が飛ぶ！　物理的に飛ぶ！」

「何を言っているの。レアンドロ様は私が安静中のヒルベルトの世話をしたいと言い出したとき、あなたがこの屋敷に留まることを許してくださったのよ？　これは介助なのだから、怒るはずがないわ」

今回の襲撃事件を受けて、ティファンヌはしばらく外出を控えてほしいとレアンドロに頼まれた。自分を庇って傷ついたヒルベルトに、少しでも恩返しがしたかったティファンヌは、せめて安静中のヒルベルトの世話をしたいとレアンドロに願った。

しかし、そのためにはティファンヌがヒルベルトの家を訪ねなければならず、熟考の末、医師からの安静指示が解けるまでヒルベルトはレアンドロの屋敷に滞在することになったというわけだ。

「あなたはあのお方をちっともわかっていない！　あの後、レアンドロ様がどれだけ恐ろしかったか……」

「あの後、というと、二人きりで話していた時のことかしら？」

ヒルベルトの滞在を許可した後、レアンドロはヒルベルトと二人だけで話がしたいと言い出してティファンヌたちを部屋から追い出した。二人の会話は聞き取れなかったが、許可を得て部屋に戻ったとき、ヒルベルトの顔から血の気が失せていたのは覚えている。てっきり血を流したせいで貧血になったのだと思っていたが、違うらしい。

「夫不在の屋敷に若い男が滞在しているというのは、あまり褒《ほ》められたことじゃないんですよ。ティファンヌ様、少しは警戒心を持って下さい！」

ヒルベルトが鼻息荒く説教すると、ティファンヌは淑女《しゅくじょ》らしからぬ笑い声をあげた。

「何それ、面白い！　私とヒルベルトに限って間違いなんて起こるわけがないでしょう。あはははは、ふふふっ……あっはっはっは！」

ティファンヌの笑いは収まらず、ついには腹を押さえてベッドに突っ伏してしまった。それでもなお笑い続ける彼女を真っ赤な顔で見下ろしていたヒルベルトは、「もう知りません！」と怒鳴ってそっぽを向いてしまった。

「あら、やだ、ヒルベルト、怒らないで。きっとお腹が空きすぎてイライラしているのよ。ほら、これでも食べて。はい、あーん」

「だから、あーんはしないって……」

「お二人とも、何をなさっているのですか？」

三人目の声がかかり、ティファンヌとヒルベルトは扉を振り返る。医者を連れて来たらしいメラニーが、冷たい眼差《まなざ》しでヒルベルトを射貫《いぬ》いていた。

「お医者様を連れてきてくれたのね。ありがとう、メラニー」

「いえ、食事を終えてからの方がいいかと思い、ゆっくり連れて来たのですが、間違いだったようですね。旦那様《だんなさま》にご報告しなければ」

「ちょ、メラニーさん待って、何を報告するつもりですか!?」

「王女様が負い目を感じて強く出られないことをいいことに……この不埒者《ふらちもの》！」

「なんだそれっ、ものすごい誤解！　ていうか、明らかに悪意ある曲解じゃないですか。ティファンヌ様からも何か言ってくださいよ！」

「では先生、ヒルベルトをよろしくお願いします」

「おいいいいいいいいいいっ!?　さくっと無視して出て行かないでくださいよっ、さては二人ともグルなんだな、そうだろう、もうやだ早くお家へ帰りたい！」

　ヒルベルトの心の叫びが光の神へ届いたのか、ヒルベルトの絶対安静は解かれ、晴れて自由を手に入れたヒルベルトは「よかった、首と胴体がバイバイせずにすんでよかった」と泣きながらレアンドロの屋敷を去っていった。


「あの日の襲撃犯、捕まるどころか手がかりすらまだつかめていないそうです」

　ヒルベルトが屋敷から去っていったその日の夜、寝支度《ねじたく》を整えるティファンヌの世話をしながら、メラニーが街へ買い物に出たときに仕入れた情報を報告する。

　友好国から預かっている大切な王女に危害が加えられそうになったということで、王都警備騎士団だけでなく、近衛《このえ》騎士団からも人員を割いて襲撃した男たちを追っているのだが、残念ながら襲撃犯のその後の足取りはつかめていない。

「一応は必死になってくれているみたいだけれど、捕まえられないんじゃないかしら」

　ティファンヌの言葉に、メラニーは「そうですね」と淡々と同意する。

　犯人グループは訓練を受けた兵士だった。ごろつきのようなみすぼらしい格好をしてごまかしていたが、あの統率の取れた動きや剣さばきは、喧嘩《けんか》をしているうちに身につくようなものではない。

訓練された兵士を扱える人物なんて、貴族しか考えられない。しかも、王城を離れたティファンヌの行動をつかんでいたとなると、レアンドロやビオレッタの動きを把握《はあく》できる程度の権力は有している、ということだ。

そんな権力者が、騎士ごときに尻尾《しっぽ》をつかませるはずがない。つかまれたとしても、その手を切り取ってしまうだろう。

命を狙われているという事実に不安を感じないと言えば嘘になるが、仕方がないとティファンヌは思う。

ティファンヌはヴォワールの王女だ。兄を殺して玉座に座るような野蛮《やばん》な王が治める国なんかと、友好を結ぶなんてまっぴらごめんだと思っている貴族も少なくないだろう。以前、レアンドロが話していた『保守派』や『強硬派』を筆頭に、何とかこの婚姻をつぶそうという輩《やから》がいろいろな手段に出てくることは予想できていた。とはいっても、せいぜいレアンドロ以外の男をティファンヌに差し向けて誘惑し、ティファンヌに不貞を働かせて醜聞《しゅうぶん》を広げる、または駆け落ちでもさせるとか、ティファンヌがヴォワールの間者《かんじゃ》である証拠をでっちあげるとか、アレサンドリ側が婚約を破棄《はき》しても問題にならない方法に出ると思っていた。

それがまさか、直接命を狙ってくるだなんて。

万が一これが成功して、ティファンヌが命を落としてしまったら。それこそヴォワールとしては願ったりかなったりである。

ティファンヌが死ねば、大切な王女をみすみす死なせてしまったアレサンドリに対して、ヴォワールは強い態度を示せる。最悪、戦争を仕掛ける理由にしてしまうだろう。嬉々として戦《いくさ》の準備をする父の姿が、ティファンヌの目にありありと浮かぶ。

ティファンヌは分かっていた。自分の命が吹けば飛ぶ砂粒のようにちっぽけであると。だからこそ、趣味にいそしむ間も警戒を怠《おこた》らなかったというのに。

今回の襲撃は、ティファンヌの失態だ。誰が潜んでいるかも分からない街の中を、たった二人の護衛で歩くなんて、襲ってくれと言っているようなものだった。考えずとも分かることなのに、あの時のティファンヌはそれを忘れていた。

アレサンドリがあまりに優しい世界だったから、期待してしまったのだ。

この国は、罪深いティファンヌすら光で照らしてくれるかもしれない、と。

ずうずうしい話だ。ティファンヌはヴォワールの間者としてアレサンドリへやってきて、ヴォワールに情報を流すための準備すらしていたというのに。そんな自分を、受け入れてもらおうだなんて、浅はかだった。

『三日後、やっと屋敷へ帰ることができそうです』

襲撃の後、ティファンヌを心配して飛んで帰ってきてくれたレアンドロが、城へ戻る直前に教えてくれた。

『あ……そういえば、巫女様はご実家へ帰られるのでしたね。それが三日――』

ティファンヌの唇に、レアンドロの指が触れる。

『巫女様がご実家へ戻られるのは非公式ですので、むやみに巫女様の予定を口にしてはいけません。屋敷の中に不届き者はいないでしょうが、念のため』

『も、申し訳ありません』

『いえ、もともとは、巫女様が自分からあなたに教えてしまったことですから。私の方こそ神経質で申し訳ありません』

祝福を授け終わった後、ビオレッタとおしゃべりを楽しんだときに、ビオレッタが教えてくれたことだった。もうすぐ実家に帰って、二人の兄と街を歩く予定だと。信じられないことに、ビオレッタはつい最近まで自分の部屋から出られないひきこもりだったそうだ。出られるようになってからはずっと城で暮らしていたため、兄たちと一緒に街を歩くのは十二年ぶりらしい。

あの時、ビオレッタは詳しい日時を話さなかった。ティファンヌやレアンドロのほかに、メラニーやヒルベルトもいたから、彼女なりに気を付けたのだろう。

『あの、大丈夫なのでしょうか。確か、街に出るとおっしゃっていましたが……』

『巫女様のことですから、街へ出かけるときは父親のローブを頭からかぶると思われます。遠巻きにされることはあれど、光の巫女だと気づくものはいないでしょう』

『え……父親の、ローブ？』

『それに、長男は魔術師らしからん強さの持ち主ですし、次男の方も怪しい薬で相手の戦意を落とす天才です。護衛も遠巻きに守っておりますので、不届き者が巫女様に手を出すことなどまず無理でしょう』

ティファンヌには理解できないことが多々あったが、ビオレッタが安全である、ということだけは理解した。

『ずっとあなたをひとりきりにしてしまい、申し訳ありませんでした。三日後の夜は、二人きりでゆっくり過ごしましょう』

レアンドロは名残《なごり》惜しそうにティファンヌの頬《ほお》に指を滑らせ、最後に唇に触れてから、城へと帰っていった。


レアンドロを見送ってからすでに二日が過ぎた。明日、レアンドロは帰ってくる。

ベッドから起き上がったティファンヌは、誰も眠っていない隣を見つめて、自らの唇に触れる。あの日の指先を思い出すだけで、ティファンヌの唇は燃えるように熱くなった。

けれどいまのままのティファンヌでは、レアンドロときちんと向き合えないだろう。

覚悟を決めなければならない。

ティファンヌはベッドから降り、自分の部屋へと向かう。メラニーはすでに自分の部屋に引き上げており、暖炉《だんろ》の火が消えた部屋はひんやりとしていた。春になったとはいえ、まだまだ夜は冷え込む。ティファンヌは肩にかけるストールを胸元に引き寄せながら歩いた。

クローゼットを開くと、色彩豊かなドレスたちに見向きもせず、足元に積み上げてあるいくつもの箱から、そのうちのひとつを取り出す。箱を抱えたまま寝室へと戻り、うっすらと部屋を照らす程度に炎を灯す暖炉に近づき、ティファンヌは箱を開いた。

箱の中には、紙の束が入っていた。今日までに集めた、アレサンドリの情報が記してあった。

ティファンヌは紙の束をじっと見つめて唇をかむ。

この紙は、ティファンヌの裏切りの証《あかし》だ。

ティファンヌはヴォワールの間者としてアレサンドリへやってきた。その事実は変わらない。けれど、手に入れた情報をヴォワールに渡すかどうか、決める権利がティファンヌにはある。

七年前、ティファンヌは何も知らずに罪を犯した。父が何を狙っているのか分からずに、促《うなが》されるまま行動して取り返しのつかない事態を引き起こしてしまった。

あの日の後悔はいまでも続いている。どれだけ悔やんでも罪は消えてなくならないと知っている。そして、ティファンヌはもう、何も知らずに言うことを聞くだけの子供じゃない。

ティファンヌは紙をまとめていた紐《ひも》をほどくと、紙の束を半分に引きちぎった。二つになった紙の束をひとつにまとめ、もう一度破る。何度もそれを繰り返して何が書いてあったのかすら判別不可能になった紙片を、暖炉の中へ放り込んだ。

頼りない灯を放つだけだった暖炉の火が、新しい火種を得て息を吹き返すように燃え上がる。

赤々と燃える炎は、あの日見ているしかできなかった炎を思い起こさせた。

「お姉さま、私は、潔《いさぎよ》く生きていきたいのです」

明日、レアンドロが戻ってきたらすべてを話そう。レアンドロは多忙を極めているから、明日を逃せば次の機会がいつ訪れるのか分からない。何より、これ以上レアンドロとの距離を縮めてしまえば、真実を打ち明けることも動くこともできなくなりそうだった。

そうなる前に、告白してしまおう。自分が何のために、アレサンドリへやってきたのか。

そして、七年前にティファンヌが犯してしまった大罪を。

すべてを知ったレアンドロは、どうするだろう。ヴォワールの間者だったティファンヌを牢《ろう》に入れるのか。処刑されてもおかしくはない。アレサンドリの人々はみな優しいから、もしかしたら婚姻の話を破棄してティファンヌを国へ返すかもしれない。

未来を見通す力などティファンヌにはないが、ひとつだけ、分かっていることがある。

レアンドロは、ティファンヌを軽蔑《けいべつ》するだろう。顔を見ることすら嫌悪するほどに。

それでいい。それがいい。レアンドロに拒絶されること。それこそが、ティファンヌに与えられる罰だ。

密かな決意を固めた夜が明け、新しい一日を迎えたレアンドロの屋敷は、朝からそわそわ落ち着かなかった。

レアンドロが屋敷へ戻るのはハビエルやサンドラにとっても久しぶりだったそうで、主を気持ちよく迎えられるようにと、屋敷中をピカピカに磨《みが》いていた。

ティファンヌはティファンヌで、忙しかった。優秀なメイドサンドラが、せっかくレアンドロと一緒に夕食をいただくのだから、ティファンヌの手料理を出しましょうと言い出したからだ。さすがにフルコースすべてを作れとは言わないものの、下ごしらえはしっかり手伝わされた。デザートに関してはすべてティファンヌが作った。

「おいしそうなデザートですね。プディングにも似ていますが、これはいったい……」

「ババロアよ。私の故郷のお菓子なの。レアンドロ様のお口に合えばいいのだけれど」

「ご心配には及びません。奥様が手ずから作ったデザートですよ。旦那様《だんなさま》は残さず平らげてしまいますわ」

サンドラの言う通りだったらいいなと思って、ティファンヌは表情をほころばせる。

今夜、全てを話してしまえば、こうやってレアンドロのために何かを作るということもなくなるだろう。

最初で最後の、二人きりの晩餐《ばんさん》。

夢から醒《さ》めるまで、この幸せに浸っていよう。そう思っていたのに、

「ティファンヌ・フォン・ヴォワール王女殿下はいらっしゃるか」

ティファンヌの玉響《たまゆら》の夢は、宵《よい》の口に屋敷を訪れた騎士の一団によって壊される。

日が暮れてもレアンドロが現れず、もしかしたらビオレッタに何かあって、帰れなくなったのではないかと話していた時だった。前触れもなく屋敷へやってきた騎士たちが、対応に出たハビエルにその一言だけを伝えて屋敷へ押し入った。

そして、レアンドロを今か今かと広間で待っていたティファンヌのもとまでやってきて、一枚の紙をこれ見よがしに掲げて言った。

「ティファンヌ・フォン・ヴォワール王女殿下。あなたに、光の巫女誘拐《ゆうかい》未遂《みすい》の嫌疑がかかっています。我々とともに、王城へお越しください」

そうしてティファンヌは、自分から打ち明けることすらできないまま、ヴォワールの間者として拘束《こうそく》されたのだった。

第三章　後悔はしたくないから、守りたいもののために最後まであがきます。

メラニーと別の馬車に乗せられたティファンヌは、王城で滞在中に使っていた部屋へ通された。ティファンヌに続いて三人の騎士が入ったところで、扉は閉められてしまった。

「あの……メラニーは？」

別の馬車に乗る姿を見て以来、ティファンヌはメラニーを見かけていない。王城へたどり着いて馬車を降りる時も、メラニーが乗った馬車はなかった。

「王女殿下、まずはソファに腰を掛けていただけますか。これから、少々長い話になります」

レアンドロと同じ純白の鎧《よろい》を纏《まと》う騎士が、そう言ってソファへとティファンヌを誘う。鈍色《にびいろ》の鎧を纏う他二人の騎士は扉前にとどまったので、ティファンヌが逃げ出さないための見張り役なのだろう。

ティファンヌがソファに落ち着くのを待って、騎士は向かいに座る。

「順を追ってお話ししましょう。本日午後、実家へお戻りになられていた光の巫女《みこ》様が、誘拐未遂に遭《あ》いました」

った。

「巫女様は？　お怪我《けが》はされておりませんか？」

「心配には及びません。ご兄弟が返り討《う》ちにしました。巫女様は傷ひとつ負っておりません」

ビオレッタの無事を知り、ティファンヌはほっと胸をなでおろした。十二年ぶりの兄妹でのお出かけが台無しになってしまったのはかわいそうだが、大事に至らなかったのは本当によかった。

ティファンヌの様子をじっくり観察していた騎士は、続きを話し出す。

「捕縛《ほばく》した誘拐犯は、こんなものを持っていました」

騎士はティファンヌとの間を隔《へだ》てるローテーブルの上に、一枚の紙きれを置いた。ティファンヌは視線で触ってもいいか問いかけ、騎士がうなずいたのを見てから、その四つ折りのしわくちゃな紙を手に取った。

ゆっくりと広げて、ティファンヌは驚きのあまり呼吸が止まった。

乱暴に扱われたのか、破れてしまいそうなほど皺《しわ》だらけになった白い紙には、王城の見取り図が描いてあった。すべてが網羅《もうら》されているわけではなく、廊下《ろうか》の形と扉の位置、一部の部屋の用途と形が描かれていた。おそらく、書いた本人が入ったことがある部屋だけ記されているのだろう。

紙にはビオレッタの部屋の位置も記されていた。ご丁寧《ていねい》に赤い丸印が描かれている。

ティファンヌは震えそうになる身体《からだ》を必死に押しとどめた。だって、この紙に描かれている文字は、どう見ても、ティファンヌの筆跡だったから。

この紙は、ティファンヌがヴォワールへ渡すために書き記していた王城の地図だった。

「こんな、もの……どうやって？」

ヴォワールへ渡すはずだった紙の束はすべて焼き捨てた。それ以前は、ずっとクローゼットの奥に隠していた。知っているのはティファンヌのほかに、ただひとり。

「誘拐犯はこう証言しました。あなたの侍女《じじょ》がこの紙を持ってきたと。そして、光の巫女様が今日実家へ戻られること、ご兄弟と街を歩かれるときは父親のローブを被っていることを教えたそうです」

ティファンヌは目の前が暗くなり、身体をよろめかせる。騎士が腕を伸ばして支えてくれたので、ティファンヌはその腕にしがみついて騎士を見上げた。

「メラニーは、メラニーは無事なのでしょうか？　彼女はいったい、どこにいるのですか？」

「教えることはできません。我々は侍女だけでなく、あなた自身も間者《かんじゃ》なのではないかと疑っているのです」

ティファンヌは目を見開く。

騎士の言う通りだ。ティファンヌはヴォワールの間者としてアレサンドリへやってきた。地図を書き記したのだって、ティファンヌである。

だったら、ティファンヌがすべてを自白して罪を被れば、メラニーだけでも助かる？

答えは、否《いな》だ。

誘拐犯が証言したというだけで、メラニーが紙を渡したという証拠はないはずだ。メラニーが自白したのかも分からないこの状況で、何もかもぶちまけるのは得策ではない。

ティファンヌをアレサンドリから追い出したいと思っている輩《やから》がいるのは、この間の襲撃で十分理解している。ここは焦らず、信頼できる相手に事情を説明するのが上策だろう。

「……王太子殿下に、お会いしたいです」

「王太子殿下はいま巫女様の傍におります故《ゆえ》、難しいかと……」

「でしたら、レアンドロ様は？　あの方は私の夫となるお方です。私の身柄に関して、全てあの方に一任されているはず。このことを、レアンドロ様はもちろんご存じなのですよね？」

騎士は言い淀《よど》んで視線をさまよわせた。

もしや、レアンドロにこのことを話していないのだろうか。もしそうならば、今頃ハビエルたちからレアンドロのところへ報告が入ったはずだ。レアンドロが事情を知れば、何かしら行動を起こしてくれるだろう。それまで下手《へた》なことをしゃべらずに持ちこたえれば……。

「レアンドロは、このことを了承しております。そのうえで、あなたとは会いたくないと言いました」

迷いを感じる揺れる声で騎士が告げた言葉に、ティファンヌは凍り付いた。そして、得心した。騎士は先ほど言い淀んだのではなく、ティファンヌのことを想って言っていいものか迷ったのだ。

　間者かもしれない女に対して、なんと優しい騎士だろう。ティファンヌは心の中で笑った。笑うしかなかった。

　けれど、ここで心折れるわけにはいかない。ティファンヌの行動次第で、アレサンドリとヴォワールが戦《いくさ》になるかもしれないのだから。

「レアンドロ様がすべてを了承していることは理解しました。ですが、疑いをかけられているとはいえ、私はヴォワールの王女です。それ相応の地位にある方が説明するべきでしょう」

　目の前の騎士は純白の鎧を着ているため、一隊長以上の権力を持ち合わせているだろう。しかしティファンヌが神国王と拝謁《はいえつ》した時、この騎士の姿を見なかった。つまり、騎士団長でもなければ副団長でもなく、ましてや宰相《さいしょう》などでもないということだ。

「あなたのような身分の低い方にお話しする言葉は持ち合わせておりません。さっさと部屋を出てお行きなさい」

　ティファンヌは騎士の頬《ほお》を叩くようなつもりで声高《こわだか》に言い放った。ヴォワールで暮らしている間でさえ、こんな高飛車《たかびしゃ》な態度はとったことはない。内心では自分の不遜《ふそん》な態度に震えが止まらなかったが、ティファンヌはおくびにも見せなかった。

　騎士は眉《まゆ》をひそめて低くうなったが、「分かりました」と答える。

「ふさわしい身分のものに代わりましょう。ですが、今日はもう遅い。明日、連れてまいります。今夜はこのまま、ここでお休みください」

立ち上がって軽く一礼をする騎士を、ティファンヌは「お待ちになって」と呼び止める。

「メラニーは私の侍女ですが、れっきとした伯爵家令嬢です。ふさわしい待遇をしてあげてください」

メラニーを傷つけることは許さない。その気持ちを込めて騎士を見据えた。

「……分かりました。肝《きも》に銘《めい》じておきます」

騎士はティファンヌをしばし見つめた後、そう答えて部屋を出て行った。扉を固めていた騎士も部屋から出たが、扉の向こうから気配は消えなかったので、見張りとして待機しているのだろう。

部屋にひとりになったティファンヌは、盛大なため息とともにソファの背もたれに沈み込んだ。両手をだらしなく放り投げてソファにもたれかかる姿は、淑女《しゆくじよ》としてやってはならないはしたなさだ。

『王女様、はしたなすぎます』

メラニーの声が恋しくて、ティファンヌは泣きそうになった。

夜が深くなると、部屋に侍女がやってきて、ティファンヌの寝支度《ねじたく》を整えてくれた。予想通りというべきか、やってきた侍女はメラニーではなく、さらに以前滞在していた時にメラニーを補佐してくれた侍女でもなかった。

侍女を見送ってからベッドにもぐりこんだティファンヌは、頭がさえて眠れそうにないこともあり、これからのことを考える。

分かっていることを整理しよう。まず、あの騎士の言い分を信じるならば、メラニーがビオレッタ誘拐を企《くわだ》て、失敗してヴォワールの間者だとばれてしまった。

あの騎士を信用していいのかはまだ分からないが、状況証拠だけならメラニーは真っ黒だと思う。レアンドロが屋敷に帰ると教えてくれたとき、メラニーはティファンヌたちから少し離れたところにいた。さらに言うなら、ハビエルとサンドラもいた。だから、ビオレッタが実家にいることも、父親のローブを被って町へ繰り出すことも知っているだろう。また、ティファンヌの部屋からこっそり王城の地図を盗み出すことだってできる。

ここまでなら、メラニーが限りなく黒いように思える。けれど、肝心《かんじん》なことが抜けている。

メラニーはなぜビオレッタを誘拐しようとしたのか。

ビオレッタをヴォワールに連れて行って人質《ひとじち》にする、というのも少々乱暴な話だ。それに、彼女はティファンヌと一緒に聞いていた。ビオレッタの二人の兄はとても手ごわく、もし万が一ビオレッタに危害を加えようとしたところで、返り討ちにあってしまうだろう、と。

実際、誘拐犯は兄二人に退けられたらしいし、捕まってしまっている。

「ていうか、私、メラニーは犯人ではないって信じているのね。メラニーが犯人でないのなら残るは……」

メラニー以外でティファンヌの部屋から王城の地図を盗み出せる人物を思い起こそうとして、ティファンヌは考えることを放棄した。今は真犯人を探すよりもメラニーの無実を証明する方が先決だと思ったから。

メラニーには、今回の計画を実行するのは不可能だ。それはきっと、すぐに証明できる。そのためにも、ティファンヌはレアンドロに会わなければならない。レアンドロの協力が、必要不可欠だから。

「あぁー、でも、会ってもらえないんだっけ」

会いたくない。騎士が教えてくれたレアンドロの言葉を思い出して、ティファンヌは胸がきりきりと締め付けられた。呼吸が浅く息苦しくなって、瞬く間に視界がにじむ。それでも、泣いている場合じゃないと自分を叱咤《しった》して、歯を食いしばってこらえた。

「にゃあん」

猫の鳴き声が聞こえて、ティファンヌは身を起こした。暖炉《だんろ》の炎でオレンジ色に照らし出された部屋には、当然のことながら猫はいない。

「にゃあご、んん～」

すぐ近くから聞こえて、ティファンヌは身を乗り出してベッドの足元を見た。ベッドのすぐ脇に、黒猫がお座りしていた。すらりとした曲線を描くフォルムの中で、耳だけがつんとがっている。まん丸の瞳は暖炉の灯を受けて黄緑に光って見えた。

「……あなた、巫女様が連れている黒猫？　どうして、ここに？」

ティファンヌが思わず問いかけると、黒猫は「んにゃあ」と答えて歩き出す。居間へと通じる扉をひっかき始めたので、ティファンヌが追いかけて開けると、黒猫は扉の内側に入り込み、建てつけの本棚《ほんだな》の前で立ち止まった。

いつかの日に、ティファンヌが見つけた隠し通路の入り口である本棚を黒猫はじっと見つめ、尻尾《しっぽ》を大きく左右に揺らした。しばらくそのままでいたかと思えば、ティファンヌへと振り返る。

「にゃあん」

『開けて』と言われた気がして、ティファンヌの心臓がはねた。

ティファンヌはゆっくり、ゆっくり歩を勧め、本棚の前に立つ。黒猫がスイッチである燭台《しょくだい》の真下へ移動して壁をひっかき始めたのを見て、フックに手を伸ばして引き下げた。

何かがはまる小さな音がしたかと思えば、黒猫は本棚の前へ移動し、両前足を使って回転式の扉を動かし、中へ飛び込んでしまった。

慌ててティファンヌも後を追いかけようと扉を開いたが、全てを飲み込んでしまいそうな暗闇を前に、足がすくんで動けなくなった。

『精霊たちが管理する道だから、下手に踏み入れば二度と出られなくなります』

　ビオレッタの忠告が、何度も頭を反響する。

　この道を進んで部屋を出れば、レアンドロに会えるかもしれない。向こうは会いたくないと言っていたけれど、何とか頼み込んで協力してもらうしかない。

　メラニーを助けたい。誰が敵かもわからないこの状況でメラニーを助けるには、ただ待っているだけではいけない。

「光の神様、お願いがあります」

　ティファンヌは暗闇に向かって話しかける。いるはずがないとずっと思っていた神様へ、ティファンヌは願いを口にする。

「私に、この道を通らせてください。お願いします」

　七年前、どれだけ願ったところで神様はリディアーヌを助けてくれなかった。だからティファンヌは、祈ることをやめた。

　その方が、楽だったから。希望なんて持たないほうが、傷つかないですむと思い知ったから。

　だけどそれでは、メラニーを助けられない。

「お願いします、神様。メラニーを助けたいんです。そのためには、レアンドロ様に会わなくてはならないんです」

　自分はどうなったっていい。すべてを話して処刑されることになったとしても後悔はしない。

メラニーが助かればいい。メラニーが、生き残ればいい。私はメラニーから唯ひとりの主を奪ったから。

「私は、メラニーを助けなくちゃいけないんです。私はメラニーから唯ひとりの主を奪ったから。償《つぐな》わなくちゃいけないんです！」

ティファンヌは深く頭を下げ「お願いします！　お願いします！」と頼み込む。何度頼み込んでも、声が枯れそうになっても何の変化もなくて、やはり神様はティファンヌに力を貸してくれないのかと思いかけたとき、視界が真っ白に塗りつぶされた。

突然のことに目がくらんだティファンヌは、とっさに両手で目を庇《かば》う。目を閉じてもなお、視界がちかちかと瞬いているように感じた。

やがて目の痛みが落ち着いてきたところで、ゆっくりと慎重に瞼《まぶた》を開く。目の前に広がっていた光景を見て、知らず笑みがこぼれた。

底なしの穴のようだった隠し通路に、光の粒が浮かび上がっていた。人の顔の大きさほどの光の粒が、まるで壁にかけられた松明《たいまつ》のように、壁際《かべぎわ》に灯っているのである。光の道はずっと奥まで続いていて、ティファンヌの進むべき道を照らしていた。

アレサンドリを守る光の神は、ティファンヌの願いを叶えてくれたのだ。

「ありがとう、ございますっ……」

感激のあまり、ティファンヌは泣き出しそうになったが、泣いている場合ではないと必死にこらえた。

喜びの涙を流すのはいまではない。メラニーを助けられた時だ。

ティファンヌは強い瞳で前を見据え、光の神が示す道を進み始めた。


光の神がティファンヌを導いたのは、いつかと同じ書庫だった。レアンドロはここにはいないが、下手にどこか分からないところへ放り込まれるよりもずっといい。

すぐさま廊下《ろうか》へと続く扉を開いて人がいないか確認する。誰の姿もなく静まり返っていたので、書庫を出ようとしたところで背後から口をふさがれ、書庫へと引きずり戻された。

「ん――――！　んん――――！」

「王女様、王女様、静かにしてください」

背後からの拘束《こうそく》をなんとかほどこうともがくティファンヌを、拘束する人物は必死になだめる。その声を聞いて、ティファンヌはぴたりと抵抗をやめた。ティファンヌが背後の人物を正しく把握《はあく》したと判断した声の主は拘束する両手を離し、自由になったティファンヌはすぐさま背後を振り返る。

「メラニー！　無事ふがっ……」

「ですから、静かにしてくださいと申しました、王女様」

喜びのあまり叫びそうになったティファンヌの口をふさぎ、メラニーは厳しくにらみつける。

蛇ににらまれたカエルのように、ティファンヌは硬直したまま首だけを細かく縦に振った。

無事、信じてもらえたティファンヌは、メラニーの手が離れたところでひとつ深呼吸をする。

「それにしても、どうしてメラニーがこんなところに？　てっきりどこかへ閉じ込められているものと思っていたわ」

「私は、見張りの兵士を起き上がれないようにして逃げ出しました。私よりも王女様です。どうしてこんなところに？　秘密の通路は、使えなかったはずですよ」

「光の神様にお願いしたの。メラニーを助けるためにも、この道を使わせてくださいって」

「私を、助ける？」と、メラニーは眉《まゆ》をひそめた。

「メラニーが犯人じゃないことは分かっているの。だから、レアンドロ様に頼んで、ハビエルとサンドラに証言してもらおうと思って」

「それで……部屋を出たのですか？」

ティファンヌが力強くうなずくと、メラニーは頭を押さえてよろめき、力なく壁にもたれかかった。

「なんて……なんて……」

「メ、メラニー？」

「なんて、余計なことを」

メラニーがこぼした言葉の意味を理解する前に、ティファンヌの喉元《のどもと》に棍棒《こんぼう》が突きつけられた。

「メラニー、これはいったい……」

「王女様、こうなっては仕方ありません。一緒にヴォワールまで逃げましょう」

「はぁっ!?　なにぐぅ……」

ティファンヌの口をメラニーの手がふさぎ、「静かにしてください」とすごむ。メラニーがここまで強く脅《おど》しつけてきたことがなかったため、ティファンヌは震えながら頷《うなず》いた。

「今回、光の巫女様の誘拐《ゆうかい》を企てたのは私です」

「そ、そんなわけないわ。だって、あなたは……」

「私がやったんです。光の巫女様はこの国の要。あの奇跡の力は、ヴォワールにとっても国威発揚《はっよう》になります。それに、あれだけの美貌《びぼう》。王太子殿下がさぞ気に入ることでしょう」

ティファンヌは反論できなかった。ヴォワールの王太子であるティファンヌの兄はどうしようもない女好きで、まだ王位を継いでいないというのに妻が七人いて、子供は五人もうけている。そんな兄がビオレッタを見たら、すぐに妻にしてしまうだろう。

「残念ながら計画は失敗してしまいましたが、運よく王女様を取り返すことができました。これで、手ぶらで帰らずに済みそうです」

「何を……言っているの？」

「王女様は城の構造を覚えていらっしゃる。ヴォワールに渡そうとしていた資料は燃やしてしまったようですが、王女様の頭の中に残っていれば問題はありません」

昨夜のことを知られているとは思わなかったティファンヌは、驚きのあまり言葉を失う。そんなティファンヌを、メラニーは嘲笑《あざわら》った。

「私が知らないとでも？　王女様のことなら私はなんでも知っていますよ。そう、七年前にあなたがしでかしてしまったこともね」

「ま、さか……」

「ねぇ、王女様。あなたはすでに罪人なのです。七年たとうが、資料を焼き払って隠滅しようが、あなたが裏切者であることは変わらないんですよ」

「裏切者……」

「そうでしょう。あなたはリディアーヌ様を裏切った。私の唯一の主を死に至らしめたのです。償《つぐな》ってくれますわよね？」

償い、その言葉がティファンヌの胸に突き刺さる。そうだ、ティファンヌはメラニーに償わなくてはならない。

メラニーとともにヴォワールへ帰ることが、償いになるの？　ティファンヌはメラニーへ、視線だけで問いかける。

メラニーは背筋が凍るような鮮やかな笑みを浮かべ、言った。

「さあ、行きましょう、王女様」

ティファンヌには、従うことしかできなかった。

書庫を出たティファンヌとメラニーは、気配を消しながら慎重に廊下を進んでいく。ティファンヌが前を歩き、背後のメラニーはティファンヌが逃げ出さないよう彼女の腰あたりに棍棒を突きつけていた。

「どこへ向かうの？」

「城の脇にある貯蔵庫へ。そこで、仲間と合流します」

「仲間？　そんなもの、いつの間に……」

「ヴォワールが潜り込ませた間諜《かんちょう》が数人おります」

ティファンヌの輿入《こしい》れのどさくさに紛《まぎ》れて、ヴォワールの間諜が城内に潜り込んでいることはティファンヌも知っていた。けれどせいぜい下働きとして潜り込めたくらいで、騎士のような身元の保証が必要な職には紛れていないはず。この厳戒態勢で、下働き風情《ふぜい》が拘束されたメラニーに接触するなんて不可能だ。

「……ねぇ、メラニー。もしかしてあなた、間諜だけじゃなくて……」

ティファンヌが振り返ると、突然、二人の間に黒い煙が発生した。驚いた二人は互いに後ずさり、ティファンヌは煙から離れることはできたが、煙はなぜかメラニーの上半身を覆《おお》い隠していた。

棍棒を振り回しても、腕で払っても消えない煙に苦戦するメラニーを呆然《ぼうぜん》と見つめていると、ティファンヌの手を誰かがつかんだ。はじかれるように振り返ったティファンヌの目に飛び込んできたのは、燭台《しょくだい》のかすかな光を受けて輝く清らかな金色。

「ティファンヌさん、今のうちに逃げましょう！」

「光の巫女様！」

驚き、声を上げるティファンヌの腕を引っ張り、ビオレッタは走り出す。ティファンヌはされるがままに一緒に走った。

「ど、どうして巫女様がこんなところに……いまの、黒い煙はいったい……」

「闇の精霊に目隠しをしてもらっただけです。メラニーさんに危害はありません。ある程度距離が離れたら消えてなくなりますし、心配いりませんよ！」

ビオレッタに引っ張られながら、ティファンヌは背後を振り返る。メラニーはいまだ黒い煙に翻弄《ほんろう》されていたが、体調に異変が起きているようではなかった。

走りながら後ろを振り返ったため、足がもつれて転びそうになる。何とかこらえたティファンヌに、ビオレッタが「大丈夫ですか？」と声をかけた。大丈夫だと答えようとして、ティファンヌの頭は現状を正しく理解する。

びっくりしている間にこんなことになってしまったが、この状況はまずい。もしメラニーに追い付かれたら、ビオレッタまで捕まってしまうだろう。それだけは絶対に避けなければ。

レアンドロが命を懸けて守ると決めたビオレッタを、自分のせいで危険にさらすなんてあってはならない。

「あ、あの、巫女様、助けていただきありがとうございます。もう大丈夫ですから、巫女様はどうか安全なところへ……」

「だめです！　ティファンヌさんも一緒に行きましょう。今からレアンドロさんのところへ向かうんですから！」

レアンドロと聞いて、ティファンヌの心がじくじくと痛んだ。だが、彼のもとへは最初から向かうつもりだった。ビオレッタはレアンドロがどこにいるのか把握《はあく》しているみたいだし、このままビオレッタに連れて行ってもらえば、彼がたとえ顔も見たくないと思っていても会わないわけにはいかないだろう。

ティファンヌは思わず、ビオレッタの手を握りなおした。

レアンドロは、ビオレッタを危険にさらしたティファンヌを快く思わないだろう。すでに会いたくないと言われるほど疎《うと》まれているので、もしかしたら蛇蝎《だかつ》のごとく嫌うかもしれない。

それでもティファンヌは、ビオレッタの手を離せなかった。

ビオレッタに連れられて、ティファンヌは城内を走る。しかし、悲しいことに病弱だったテイファンヌの体力は乏《とぼ》しく、すぐに動けなくなって廊下《ろうか》の隅にへたりこんだ。

両手を床についてうつむき、激しく息を切らしながら、ティファンヌはビオレッタに自分を置いて逃げるよう言おうと顔を上げた。

「ぐ、ぐるじ……」

ビオレッタも自分と全く同じ格好で床にうずくまっていた。

非常に残念なことだが、どうやらティファンヌの手を引いていたビオレッタも元ひきこもり故お世辞《せじ》にも持久力があるとはいえなかったらしい。二人そろって動けなくなってしまった。

すでに闇の精霊は足止めをやめたそうで、このままでは追いつかれるのも時間の問題かと思いかけたころ、運よく見回り中の兵士を見つけて保護してもらった。

「よかった。これでひと安心ですね、ティファンヌさん」

安堵《あんど》の笑みをこぼすビオレッタへ、ティファンヌは曖昧《あいまい》な笑みを向けるしかできなかった。

なぜなら、ティファンヌたちを保護したのはただの見回りの兵士二人で、ティファンヌに笑いかけているのはビオレッタなのである。とある予感をひしひしと感じる。

そしてティファンヌの予感は的中した。嫌というほど的中した。

ティファンヌたちを保護してくれた二人の兵士は、数分と経たずに誘拐犯《ゆうかいはん》へ変貌《へんぼう》した。しかも二人の兵士はビオレッタを取り合って言い争いを始めたのである。

このままでは、いつぞやヒルベルトが話してくれたような殴《なぐ》り合い……否、剣を持っているので斬《き》り合いになってもおかしくないとおののいていたところへ、やはりと言うべきか、メラニーが追い付いたのだった。

「王女様、ご無事で何よりです。そして光の巫女様、私に無駄な労力を使わせないでください。あなたはもう少し自分が他人に与える影響を考えるべきです」

瞬く間に兵士二人を再起不能にしたメラニーは、呆《あき》れを隠さずため息で表現した。

「適当な兵士に助けを求めたって誘拐犯になってしまうのは目に見えていたでしょう」

「ううっ、何も言い返せない……」

「ひどいわ、メラニー！　光の巫女様は私を守ろうと必死なだけよ！」

「誰かを守ろうと努力することは悪いことではありません。ただ、あなたは守られる立場の人間、そんな方がほいほいとひとりで動いたりすると――」

メラニーの棍棒が、ビオレッタの鼻先に向けられる。

「私のような悪人に捕まるんですよ」

息を飲むビオレッタを助けようと、ティファンヌは棍棒へつかみかかるが、あっさり避けられた挙句《あげく》ティファンヌはそのまま床へ転がった。すぐに身を起こそうとしたティファンヌの眉《み》間《けん》に、棍棒が突きつけられる。視線だけでメラニーを見やれば、ビオレッタを片手で拘束するメラニーが冷ややかに見下ろしていた。

「メラニー！　巫女様は関係ないわ。私だけ連れていけばいいことでしょう！」

「私は巫女様を誘拐しようとして捕まったのですよ。ヴォワールに連れていくに決まっています。王女様といい、巫女様といい、自分から捕まりに来てくださってありがとうございます」

メラニーは棍棒をわずかに引き、ティファンヌに背を向けさせると、棍棒を腰に突きつけた。

「さぁ、行きましょう。王女様」

悠然《ゆうぜん》とした言い方が、メラニーの絶対的優位を物語っていた。ビオレッタを人質《ひとじち》に取られたこの状況では従うほかなく、ティファンヌはメラニーを先導するように歩きだした。


目的地である貯蔵庫は城の外、使用人の寮からほど近い使用人専用の出入り口の傍にあるため、城の脇と言っても裏庭に近い。ティファンヌたちは城の二階を移動しており、ここから貯蔵庫へ向かうには、いったん城外に出て庭を通るか、使用人通路を通って城内から向かうかの二択で、一国の王女であるティファンヌは使用人通路と無縁のはずだった。

しかし悲しいかな、王城を欲望のまま探索してばかりいたころ、ティファンヌは使用人通路を愛用しており、真夜中だろうと迷うことなく進むことができる。もちろんそのことはメラニーも承知しているため、ティファンヌは使用人通路を使わなくてはならなかった。

メラニーが脱走したというのに、城内は静まり返っており追手の兵士もほとんど見かけない。

この状況で、さらに警備が薄いであろう使用人通路にはなるべく入りたくないと思い、いくつか見かけた出入り口を無視していると、階段に差し掛かったところで、メラニーに「王女様」と声をかけられた。

「あちらの階段裏に、使用人通路への入り口があったはずです」

ついに気づかれたか、と内心でぼやきながらティファンヌは一階へ続く階段へと向かう。

一階と二階をつなぐその階段は、大広間のような舞台装飾ではなく実用性のみを重視して壁沿いに二、三人が通れる幅で作られている。降りた先も大広間ではなく少し開けた吹き抜けの空間があるだけだ。

ティファンヌは階段を下りる。使用人通路は、この階段の真裏の壁にひっそりと存在している。使用人通路へ入る前に、何とかビオレッタだけでも逃がせないだろうかと必死に考えていた時だった。

「巫女様！　ティファァ！」

「ビオレッタ！」

階段裏へ潜り込もうとしていたティファンヌたちを、背後から呼び止める声が二つ響いた。メラニーは瞬時に反応し、ティファンヌの腕をつかんで声が飛んできた方角へとティファンヌごと振り向く。廊下を駆けてくるレアンドロとエミディオを見るなり、ティファンヌの首に棍棒をかけた。

「動かないでください！　王女様と光の巫女様がどうなろうと知りませんよ」

メラニーの制止により、レアンドロとエミディオは足を止めた。吹き抜けのささやかな広間を挟んでメラニーとレアンドロたちはにらみ合う。

剣の柄《え》に手をかけるレアンドロの隣で、メラニーに拘束《こうそく》されているビオレッタを見たエミディオは舌打ちした。

「ビオレッタ、おとなしく部屋で待っているよう言ったはずですが。しかもティファンヌ王女殿下までここにいるということは、あなたが余計なことをしたのですね」

「ご、ごめんなさいぃっ！　だだだ、だって、このままじゃあまりにティファンヌさんがかわいそうで……」

「だってじゃありません。動くなら最後までやり切ってもらえませんか。こうやって中途半端に捕まるのが一番面倒なんですよ」

敵に捕《と》らえられている婚約者へかける言葉とは思えないエミディオの辛辣《しんらつ》な言葉に、ビオレッタはただただ謝るしかできない。ひとしきりビオレッタを叱《しか》って溜飲《りゅういん》を下げたエミディオは、夜の闇の中でも光をはらむアメジストの瞳をメラニーへと向けた。

「人質をとったところで、お前に逃げ道はない。他の騎士が駆け付けるのも時間の問題だ。さっさと投降したらどうだ。今ならまだ、光の巫女を盾にしたことは見逃してやる」

「お気遣いはありがたいのですが、不要ですわ」

「……この状況で、逃げられるとでも？　確かにお前は人質を取っているが、両手がふさがったその状況で、我々二人を相手にまともに戦えるのか？」

低い声ですごみながら剣の柄に手をかけるエミディオへ、メラニーは微笑《ほほえ》んだ。

「私の両手がふさがっていようと構わないのです。だって、私に戦う必要はありませんもの」

突然、二階から五人の人影が落ちてきた。頭から足の先まで暗い布に覆われた彼らは、エミディオたちの前に立ちふさがってその手に持つ剣を向ける。

「……ヴォワールの間諜《かんちょう》か。全員をここで使うとは思えんしな……となると、随分《ずいぶん》な大所帯でやってきたのだな」

「アレサンドリほどの大国ともなれば、これくらいの数、当然でしょう」

「それだけアレサンドリを脅威《きょうい》と思っているのか、欲しくてたまらないのか……後者と考えるのが妥当《だとう》か」

「どちらが正解か、おいおい分かりますわ。では、ごきげんよう、王太子殿下」

五人の間諜のうちひとりがメラニーたちのもとへやってきて、使用人通路へ続く扉を開けて先に中へ入っていく。

メラニーもそのあとに続くため、ティファンヌの腕をつかもうと棍棒を降ろした、その刹那《せつな》。

ティファンヌは振り向きざまにメラニーに体当たりし、メラニーがよろけた隙《すき》をついてビオレッタを誰もいない広間の奥へ突き飛ばした。自分も駆け出そうとするも、背後からメラニーの腕が腹に回る。

　無理矢理引きずり戻されるティファンヌの目に、驚愕《きょうがく》の表情で自分を見つめるレアンドロが映った。

「レアンドロ様！　早く巫女様を助けて！」

　悲鳴のようなティファンヌの声で我に返ったレアンドロは、立ちはだかる二人の間諜の脇をすり抜け、ビオレッタをとらえようと動いていた残り二人の間諜へ斬りかかる。抜けられてしまった間諜たちがレアンドロを追いかけようとしたが、エミディオがそれを許さなかった。

　いまさらビオレッタを捕まえることは叶わなくなったメラニーは、ティファンヌを強い力で引き寄せ、首に棍棒をかける。

「……余計なことをしてくれましたね、王女様」

「巫女様を連れていくことは、私が許さないわ」

「この状況で、よくそんな口がきけますね」

　首にかけられた棍棒に力が加わり、ティファンヌはくぐもった呻《うめ》きをもらす。それを見たビオレッタが立ち上がろうとしたので、ティファンヌは「来てはなりません！」と声を張り上げた。

「私は巫女様の騎士であるレアンドロの妻です！　だからっ、夫が命を懸けて守ると決めたあなたを、私も命を懸けて守ります！」

「素晴らしい心がけです、王女様。あなた様の心意気を汲《く》んで巫女様はあきらめましょう。ただし、責任は後できっちりとっていただきます」

メラニーはティファンヌの腹に回していた腕に力を込めて彼女を脇に担《かつ》ぐと、使用人通路へ入った。

メラニーの脇にくの字にぶら下がったティファンヌは、地面すれすれを移動する恐怖を前に、抵抗どころか叫ぶことすらできなかった。


ティファンヌが使用人通路の奥へ攫《さら》われてからそれほど間をおかずに、レアンドロとエミディオはそれぞれに立ちはだかっていた間諜を倒した。

「巫女様、お怪我《けが》はありませんか!?」

すぐさま膝をついてビオレッタの無事を確かめようとするレアンドロへ、ビオレッタは首を縦に大げさなほど振り回して答えた。

「私は大丈夫！　大丈夫だから、早くティファンヌさんを追いかけて！」

ビオレッタが急《せ》かすと、レアンドロは彼女を立ち上がらせながら頭を振った。

「今は巫女様を安全な場所へお連れすることの方が大切です」

思いもかけない言葉に、ビオレッタは目を瞠《みは》った。ビオレッタが固まっている間にも、剣をしまったエミディオが駆け寄ってくる。エミディオへと向き直ろうとするレアンドロの腕をビオレッタがつかみ、阻止《そし》した。

「何を、言っているんですか？　ティファンヌさんが連れ去られたんですよ!?　あのままヴォワールへ連れていかれたら、もしかしたら、殺されるかもしれないのに！」

「それは……大丈夫です。あちらはあちらで王太子殿下が手を打ってくれています」

「そのことなんだが、優秀なコマをつけてはいるが、この状況は良くも悪くも予想外だろう。どっちに転ぶか予測がつかん。そうやって胡坐《あぐら》をかいていると、寝首をかかれて後悔するぞ」

「……は？」と虚を突かれた表情でエミディオを凝視するレアンドロを、ビオレッタは腕をつかんで揺さぶった。

「ぼおっとしている場合じゃないんですってば！　早く助けに行ってください。あなたの妻になる方でしょう！」

「し、しかし……私は巫女様の騎士です！　何よりも優先するべきは巫女様であって――」

「いい加減にしろぉ！」

レアンドロの頬《ほお》を、ビオレッタが手の平で叩いた。

まさかビオレッタが手を挙げるなんて思いもしなかったのだろう。レアンドロだけでなくエミディオまで唖然《あぜん》とビオレッタを見つめ、二人の視線を一身に受けたビオレッタは、普段の無邪気さなどかなぐり捨ててレアンドロをにらみつけていた。

「ふざけたことばかり言わないで！　あなたが本当に守りたい人は私じゃない、ティファンヌさんでしょう！」

レアンドロの濃紺《のうこん》の瞳が、極限まで開かれる。

「あなたは確かに私の騎士だよ。でも、それ以前にティファンヌさんの夫で、ティファンヌさんが好きなんでしょう！　しらばっくれないでよここ最近の態度でバレバレなんだからぁ！」

ぐっと詰まるレアンドロの横で、エミディオが小さく噴き出していた。

「大切な人すら守れずに何が騎士よっ、笑わせないで！　私のことはエミディオ様に任せて、レアンドロさんは今すぐティファンヌさんを追いかけなさい！」

ビオレッタは力強くレアンドロの背後の使用人通路を指さす。

レアンドロはうつむいて逡巡《しゅんじゅん》していたが、やがて使用人通路へと振り返る。

『おいこら、頭でっかち』

使用人通路の前に、いつの間にか黒猫姿のネロがお座りしていた。

「ネロ！　あなた、メラニーさんを足止めしてからどこに行っていたの!?」

ビオレッタが常に連れている黒猫の正体は闇の精霊だった。ネロと呼ばれた闇の精霊は、ビオレッタの質問に答えることなく萌黄色《もえぎいろ》の瞳をレアンドロに向けた。

『お前は確かに不器用でまっすぐで裏表がないイイ奴だが、理想を追い求めるあまり、俺たちのお気に入りであるティファンヌを傷つけるのは許しがたい』

ネロの言葉は、ビオレッタ以外にはただの猫の声にしか聞こえないはずなのに、レアンドロは何かをこらえるように両手を握りしめていた。

『……でも、もしもお前が本当にティファンヌを大切に思っているのなら。ちゃんと守ってやれるのなら、ティファンヌのところまで案内してやる』

ネロの尻尾《しっぽ》が左右に大きく振れる。それはまるで、レアンドロを挑発しているみたいだった。

レアンドロは唇を引き結ぶと、ネロへ頭を深々と下げた。

「精霊様。私をどうか、ティファンヌのもとへ連れて行ってください。私には、ティファンヌが必要なんです！」

レアンドロの願いを表情ひとつ変えずに聞いていたネロは、ずっと揺らし続けていた尻尾を、大きくくねらせて、止める。

『いいだろう。俺についてこい』

レアンドロが勢いよく顔を上げると、ネロは使用人通路へ片足を踏み込み、誘《さそ》うように尻尾を揺らした。

ついてこいというネロの意図を感じ取ったレアンドロは、すぐさま身を起こしてビオレッタたちへと顔を向ける。

「殿下、巫女様をよろしくお願いします。巫女様、一時的にではありますが、私の剣をティファンヌのために使わせていただきます」

「ビオレッタは私が守る。お前は安心して行くがいい」

「ティファンヌさんを絶対助けてくださいね！」

ビオレッタとエミディオの言葉に大きくうなずいて、レアンドロはネロとともに使用人通路の奥へ駆けて行った。


メラニーの脇に担がれたティファンヌは、大きく揺れる視界と腹にかかる圧力、地面が近い恐怖からの緊張でごっそりと体力を削《けず》られ、目的地である貯蔵庫にたどり着いて降ろしてもらった頃には地面に倒れ伏してしまった。

「王女様、生きておられますか？」

「あなたが、それを聞くの？　生きているわよ、メラニー」

メラニーがうつぶせるティファンヌの傍に膝をついて顔を覗《のぞ》き込んでくる。ティファンヌが彼女へと手を伸ばすと、メラニーはすぐさまその手を取ってティファンヌを起き上がらせ、さらに背に腕を回して体を支えた。

こんな状況でもメラニーの献身は変わらなくて、ティファンヌはほっとするような空恐ろしいような複雑な気持ちになった。

ティファンヌは重い体を動かす気になれず、視線だけであたりを見る。

アレサンドリ王城を支える貯蔵庫は半地下となっていて、階段のため入り口はどうしても狭くなってしまうものの、中に入ってしまえば開けた空間だった。明かりはついておらず、ティファンヌたちをここまで案内してきた間諜《かんちょう》が持っているランタンの灯が届く範囲しかティファンヌには確認できないが、吹き抜けのように高い天井と、少し奥へ入ると天井近くまで高さのある大きな棚《たな》が整然と並んでいるのが見えた。棚には様々な備蓄品が敷き詰められており、おそらくだが、ティファンヌたちがいる場所は荷物の出し入れがしやすいようにあえて開けた空間なのではないだろうか。ランタンの灯が届かない奥には濃い闇が立ち込めていて、半地下ゆえにひんやりとした空気が不気味さを強調していた。

「それで、これからどうするの？　まさか、ここで身をひそめながら時を稼ぐ、とかではないでしょうね。いくらなんでも見つかるわよ」

「そんなことあるわけないでしょう。安心してくださいよ、ティファンヌ様」

ティファンヌの問いに答えたのはメラニーでも前に立つ間諜でもなかった。返事とともに、貯蔵庫の奥に明かりがともり、予想以上に奥行きがあった貯蔵庫の深くから現れたのは、ヒルベルトだった。

「ヒルベルト……あなた、どうして？」

ティファンヌが戸惑いを見せると、ヒルベルトは心外だとばかりに口を曲げた。

「そんなの、ティファンヌ様とメラニーさんを助けに来たに決まっているでしょう。お二人とは、アレサンドリの誰よりも一緒にいたんです。光の巫女様を誘拐《ゆうかい》なんてしないって、分かってます」

「部屋に軟禁《なんきん》されていた私が逃げるのを手伝ってくれたのもヒルベルトです。今回の事態を受けて、ヴォワールの間諜がヒルベルトに接触して協力を打診したそうです」

「協力って……あなた、そんなことをして大丈夫なの？」

「俺が協力者ってばれてはいないと思いますけど、問題なし、とは言い切れませんね。あ、そうだ。もし俺もティファンヌ様と一緒にヴォワールへ逃げたら、あなたの護衛として雇っていただけますか？」

いつもと変わらない屈託《くったく》のない顔でヒルベルトが笑う。ティファンヌは胸が詰まって、「ヒルベルト……」と震える声で名を呼んだ。

「大丈夫ですよ、ティファンヌ様。俺がちゃんとあなたを国へ返してあげますから。ほら、この樽《たる》にひとりずつ入ってください。明日運び出す積み荷に交じって城外へ逃げる作戦です」

ヒルベルトが示したのは一番手前の棚の脇に置いてあった、ヒルベルトの胸の高さまである樽だった。ヒルベルトの説明によると、この樽は二重蓋《ぶた》となっていて、桶《おけ》状の内蓋の中に葡萄《ぶどう》酒を詰めてしまえば酒樽に偽造できるらしい。女性ひとりくらいなら隠れられそうだった。

ヒルベルトの指示に従い、メラニーはティファンヌを抱き上げようとして、その腕をティファンヌは押しとどめた。

「だめよ、メラニー。その樽に入れれば、殺されるわ」

ヒルベルトを見据えたまま紡《つむ》いだティファンヌの言葉に、メラニーは困惑する。ティファンヌとヒルベルトを交互に見つめてどうするべきか迷うメラニーへ、ティファンヌはヒルベルトを視線でとらえたまま首を横に振る。

そんな二人のやり取りを黙って見つめていたヒルベルトが、声を上げて笑い出した。腹を抱えて身体《からだ》を折り、苦しそうに息を乱しながら笑い続けている。ようやっと笑いが収まってきて、何度か深呼吸を繰り返して落ち着きを取り戻したヒルベルトは、ティファンヌに言われたことなどまったく気にしていないかのような、晴れやかな笑顔で言った。

「あーあ、やっぱり、ティファンヌ様は騙《だま》せなかったか。だってあんた、一度だって俺を信用したことがないだろう」

驚きのあまり息をのむメラニーの横で、ティファンヌは「もちろんよ」と答える。

「おあいにく様、私は小さいころから人の悪意に囲まれて生きてきたの。だから、相手が自分に害意を持っているかどうか、すぐに分かるわ。メラニーを犯人に仕立てて巫女様誘拐を企《くわだ》てたのはあなたね、ヒルベルト！」

自分を支えるメラニーの腕を握りしめ、ティファンヌは糾弾《きゅうだん》する。対するヒルベルトは笑顔は変わらず、ただ、纏《まと》う空気が刃物のように鋭くなった。

「ふぅん……ただの箱入り王女だと思って油断したつもりはないんだけどな。どこで気付いた？」

「確証を得たのは脱走したメラニーを見たとき。でも、あなたも気づいていたように、私は一度としてあなたを信用したことはなかった。あなたは上手《じょうず》に本心を隠していたけれど、ふとした瞬間にもれていたの。私に対する、強い殺気が」

ヒルベルトを初めて見たときから、彼は自分を殺したがっているとティファンヌの防衛本能が察知した。だからヴォワールの間者《かんじゃ》だとばれないよう彼の前ではひときわはしゃいで見せたし、看病も彼の家ではなくレアンドロの屋敷で行えるようにした。

その結果、ティファンヌの部屋からヴォワールへ渡すはずだった資料を盗まれるという失態を演じてしまったけれど。

「あなたが犯人だと思えばすべて説明がつくのよ。光の巫女様が実家へ戻られる日程も、彼女が街を歩くときの服装も、全てレアンドロ様の傍にいればいくらでも知る機会があった。もちろん、私の予定なんて筒抜《つつぬ》けだったでしょうしね」

「せっかくケガまでしたのに、無駄骨《むだぼね》だったわけだ。まぁ、おかげであんたが間者だっていう証拠を手に入れられたんだけど。あぁ、安心して。俺が盗んだのは今回の騒動に使った一枚だけだから」

「あなたの目的は何!?　私たちの正体が知りたいだけなら、巫女様を危険にさらす必要なんてなかったでしょう！」

声を荒げて詰問するティファンヌとは対照的に、ヒルベルトは落ち着き払い、冷淡な笑みを浮かべて答えた。

「だって、それだけだとあんたが捕まっておしまいじゃないか。それじゃあ、意味がないだろう？」

「意味？　私を捕まえる以外に、なんの意味があったというの？」

ティファンヌが思案するように目を細めると、ヒルベルトはくつくつと笑った。

「ティファンヌ様、俺の本当の名前を教えてあげましょうか。俺の名前は、ギーゼルベルト。ギーゼルベルト・フォン・トゥルム」

トゥルムと聞いて、ティファンヌとメラニーは驚愕《きょうがく》のあまり声すら出なかった。愕然《がくぜん》とする二人を、ヒルベルトはせせら笑う。

「よかった。ちゃんと自分たちがつぶした国の名前は憶えていたんだな。そう。俺はヴォワールにつぶされた小国、トゥルムの生き残りだよ」

七年前の政変の後、ヴォワール国王となったティファンヌの父は、国の混乱に乗じて周辺の小国をいくつか併合《へいごう》してしまった。トゥルムとは、そのうちのひとつだった。

どうして気づかなかったのだろうと、ティファンヌはいまさら後悔する。自分を憎々し気ににらみつけるヒルベルトの黄色から茶色へと外から内にかけて色を変えるべっ甲《こう》のような瞳は、トゥルム王家の特徴だったのに。

「戦火から逃げ延びた俺は、アレサンドリの血縁を頼り騎士団に潜り込みながら、ずっとずっと、ヴォワールに復讐する機会を願ってた」

倉庫の奥や背後の階段から、数人の男たちが現れる。メラニーとヴォワールの間諜はすぐにティファンヌを連れて壁際《かべぎわ》に避難した。

現れた男たちは、皆が皆、暗い炎の灯る瞳でティファンヌをにらみつけてきたため、全員がトゥルムの生き残りなのだとティファンヌは嫌でも悟った。

「本当は城から連れ出してからこっそり殺してしまおうと思っていたんだけど、こうなっては仕方がない。ここで死んでもらおう」

男たちが腰に提げる剣を抜いたため、メラニーとヴォワールの間諜もそれぞれ武器を構えた。

「私がここで命を落とせば、ヴォワールはそれを盾にしてアレサンドリを脅《おど》すでしょう。戦《いくさ》だって起こりかねない」

「それこそ好都合だ。ヴォワールの王はそれを何より望んでいるのだから！　ヴォワールのような国力の乏《とぼ》しい国がアレサンドリと戦をしたところで、勝機などあるはずがない。あんな国、滅びればいい！」

ヒルベルトの呪詛《じゅそ》のような言葉を合図に、男たちが一斉に襲い掛かる。すかさずメラニーとヴォワールの間諜が押し返そうと動くが、こちらが二人に対し、ヒルベルト側は彼を含めて六人。分が悪すぎる。

包囲網はじりじりと狭まっていき、隅に追い詰められたころ、とうとう間諜が斬《き》られた。メラニーの足元に転がった間諜の暗灰色《あんかいしょく》の服がじわじわと深みを増して、やがて深紅が床に広がった。

ティファンヌは「ひっ」と小さく悲鳴を上げ、背中を壁にぶつける。しかし、ぶつかったのが壁ではなく棚《たな》だったと気づいたティファンヌは、やみくもに手を伸ばしてつかんだものを、メラニーにぶつけないよう注意しつつ男たちへ投げ飛ばした。

「悪あがきとは、ヴォワール国民らしくない。ここは潔《いさぎよ》く、当たって砕けたらどうだ」

「私はヴォワールでは異端だったのよ。だから、どれだけ無様《ぶざま》だろうと生き残るためにあがくわ。私の命にアレサンドリの人々の平和もかかっていると思えば、なおさらね！」

ティファンヌが投げつけた小さな麻袋を、ヒルベルトは剣で一刀両断する。

「平和を守るだなんて、よく言えたものだ。俺たちの平和を壊したのはお前たちだろう！」

「分かってる！　全部全部、ヴォワールが悪いってことくらい」

ティファンヌは持てるものは手当たり次第投げつける。メラニーも激しく息を切らしながら、それでもあきらめることなく棍棒《こんぼう》をふるっていた。

「父様の驕《おご》りはいつかヴォワールを壊す。止める者なんていない。民を顧《かえり》みる人たちはみな死んでしまったわ。だから、遠くない未来にあの国は壊れる」

「何を言って……」

ヒルベルトは戸惑いの表情でティファンヌを見つめている。当然だ。王族が自分の国の滅びを予言するなんて、あってはならないことだ。

　しかしティファンヌは、ヴォワールを出て、ヴォワールという国の異常性に気づいてしまった。優しい世界を知って、ヴォワールの未来が明るくないことを悟った。

「ヴォワールがこの国を巻き込んで滅ぶことは許さない。少なくとも、私のせいで優しさに溢れたこの国に争いを持ち込ませたりなんてしない。私は私の命を守ることで、優しさに溢れたこの国を守るの！」

　最後のひとつとなってしまった麻袋を、ティファンヌは振り上げる。

「ティファ！」

　声が聞こえた。心のどこかで待ち焦がれていた声が。

　その声が階段から響いてきたと気づいたヒルベルトが、仲間をひとり階段へと向かわせる。

「ふにゃああああっ！」

階段の前で男が剣を構えた直後、黒猫が階段から飛び出てきて出口をふさぐ男の顔につかみかかった。四足についた鋭い爪を駆使して男の顔にしがみつき、さらに前足を振り回して何度も男の顔をひっかいた。

　予期せぬ、しかしながら効果絶大な攻撃を受けた男は、悲鳴を上げながら顔にしがみつく猫を外そうと右往左往する。そんな男の腹に、階段から駆け込んできた人物が蹴《け》りを食らわせた。

　乱入してきた人物が誰なのか、ティファンヌはすぐには理解できなかった。だって、ありえない。彼は確かに、ビオレッタを守るために残ったはずなのに。どうして今、ここに、ティファンヌの危機に駆け付けるのだろう。

「どうして……レアンドロ様……」

その存在を信じきれない様子のティファンヌを見て、駆け付けた人物――レアンドロは眉《まゆ》を下げて笑った。

「言ったでしょう。あなたがどこに隠れていようと、私が必ず見つけます、と。まぁ、今回は精霊の手を借りましたが」

レアンドロは剣を鞘《さや》から引き抜いて構えると、ヒルベルトを冷たく見据えた。

「お前たち……私のティファァに手を出そうとしたんだ。覚悟はできているだろうな」

そう言ったレアンドロの声は足元からじわじわと凍り付きそうなほど低く、にらまれているヒルベルトだけでなく、ティファンヌやメラニーを含めた全員が身をすくませた。

レアンドロは全員がひるんだその隙《すき》を逃さず斬りかかる。ヒルベルトたちも即座に応戦するも、レアンドロの気迫に呑《の》まれてしまったのか動きに精彩がない。

レアンドロは瞬く間に男たちを行動不能にし、最後に残ったヒルベルトに対しては、彼の剣を弾き飛ばすなり拳《こぶし》で殴《なぐ》り掛かっていた。横っ面《つら》を思い切り殴られて床に転がったヒルベルトに、レアンドロがまたがって殴りつける。ヒルベルトは両腕を床に投げ出し、抵抗する気配すらなくぐったりしているというのに、レアンドロは拳を収めようとはしなかった。

戦いというにはあまりにも一方的な展開を見て、ティファンヌが止めるべきかと迷い始めたころ、やっとレアンドロは手を止めた。立ち上がったレアンドロは、ピクリとも動かないヒルベルトをしばらくの間冷たく見つめ、短い息をひとつはいてから、ティファンヌへと視線を向ける。

「ティファ！」

駆け寄ってくるレアンドロを見て、ティファンヌはつい身構えてしまった。しかし、自分を捉《とら》えるレアンドロの瞳に先ほどまでの鋭利さはなく、伝わってくるのはティファンヌの身を案ずる優しさ。

レアンドロはティファンヌの目の前に来るなり彼女を抱きしめた。

「間に合ってよかった……どこもケガはしていませんね？」

レアンドロはティファンヌを一度両腕から解放すると、ティファンヌがケガをしていないか確認し始める。そんな彼の腕を、ティファンヌがつかんだ。

「レアンドロ様！　どうしてこんなところにいるのです⁉　巫女様は？　巫女様は無事なのでしょうか。お傍にいらっしゃらなくて大丈夫なのですか⁉」

「落ち着いてください、ティファ。巫女様なら王太子殿下とご一緒ですから大丈夫です」

ビオレッタの無事を確信し、ティファンヌは詰めていた息をほっと吐いた。そんなティファンヌを、レアンドロはまた両腕に閉じ込める。

「巫女様の心配もいいですが、ご自分のことも考えてください。殺されかけたのですよ。それなのにあなたは、自分のためではなくアレサンドリのために戦うだなんて……」

さっきヒルベルトに叫んだ台詞《せりふ》もすべて聞かれていたのだと知り、ティファンヌはいたたまれない気持ちで「も、申し訳ありません」と謝った。

「……謝らないでください。謝るべきは私です。あの状況で、自分の命よりも巫女様の命を選ばせてしまうようなふがいない夫で、申し訳ありません。そのせいで、こんな危険にあなたをさらしてしまうだなんて……」

レアンドロは回す腕に力を込め、ティファンヌの髪に頬《ほお》を寄せた。

「本当に、あなたが無事でよかった」

絞り出すように紡《つむ》がれた言葉を聞いて、ティファンヌはレアンドロの胸に顔をうずめてその背に腕を伸ばした。

「いい雰囲気《ふんいき》のところを申し訳ないが、この男たちを片付けさせてもらうぞ。あと、ティファンヌ王女殿下から話が聞きたい」

二人だけの世界へ入りつつあったティファンヌたちを、外野の声が押しとどめる。強制的に我に返ったティファンヌが慌ててレアンドロから離れれば、悪びれた様子もなくこちらを見つめるエミディオと、彼の背後から恥ずかしそうに覗《のぞ》くビオレッタがいた。

「巫女様！　よかった、ご無事だったんですね」

「それはこっちのセリフです！　テ、テテティファンヌさん……無事でよかったよぉおっ！」

子供のように泣きじゃくりだしたビオレッタを、エミディオが「こらビオレッタ、泣くのは後にしてください」とたしなめた。ビオレッタは素直にうなずいて、やや乱暴に顔をぬぐった。

「さて、ティファンヌ王女殿下、あなたが無事に保護されて本当によかったです。休ませてあげたいのはやまやまなのですが、早々に確認しなければいけないことがひとつあります。あなたの侍女《じじょ》はいまどちらにいますか？」

思ってもいなかった問いに、ティファンヌはすぐさまあたりを確認する。先ほどまでの暗闇が嘘のように十分な明かりで満たされた貯蔵庫内には、見るも無残な顔となったヒルベルトとトゥルムの男たち、深手を負ったヴォワールの間諜《かんちょう》、そして彼らを運び出す兵士しか見当たらなかった。

「そ、んな……メラニー！」

血相を変えて走り出そうとするティファンヌを、レアンドロが腕をつかんで食い止める。

「お願いです、行かせてください！　メラニーを探さないと」

「あなたが探さずとも、我々が捜索しております。捕まるのも時間の問題でしょう」

エミディオの説明に、ティファンヌは「それじゃダメなんです」と噛《か》みついた。

「兵士に見つかれば、メラニーはきっと抵抗するでしょう。そうすれば、自分の罪が重くなるから」

「自分の罪が重くなる？　どうしてそんなことをするんですか」

「それは、メラニーが…………死を望んでいるからです」

葛藤《かっとう》の末に打ち明けたメラニーの想いを聞いて、ビオレッタは「そんな……」と小さくもらしてエミディオにしがみついた。エミディオは動揺《どうよう》するビオレッタの肩を抱いてなだめる。

「なぜ死を望んでいると？　ただ単に、ヴォワールへ帰ることをあきらめていないだけかもしれない」

エミディオの当然の問いを、ティファンヌは首を横に振って否定した。

「メラニーはヴォワールに未練はありません。彼女の唯一の主は七年前の政変で亡くなりました」

「だったらどうして、あなたやビオレッタを人質《ひとじち》にとって逃げようとしたのですか？」

「それは、分かりません。でも、メラニーが巫女様の誘拐《ゆうかい》に関わっていないことは証明できます！　レアンドロ様、ハビエルとサンドラに証言をお願いしてもよろしいでしょうか？　あの二人は、メラニーが街へ出たときに必ず一緒だったはずです。メラニーはひとりで屋敷を出たことはありません！」

「そうだとしても、皆の目を盗んで屋敷を抜けることはできたはず。実際、あなたと一緒に気配を消して城を徘徊《はいかい》していたでしょう」

エミディオの問いにティファンヌは「いいえ、あり得ません」と大きく頭を振りながら答えた。苦悶《くもん》の表情で視線を落としながら「だって……だって……」とつぶやき、意を決して勢いよく顔を上げる。

「メラニーは、救いようのない方向音痴《おんち》なんです！」

　ティファンヌの告白を聞いたエミディオたちは、うんともすんとも答えなかった。男たちを運び出していた兵士たちも手を止めてしまったため、静まり返った貯蔵庫内を、ティファンヌの声が何度も反響する。エミディオたちが間抜け面《づら》をさらしている間にも、ティファンヌはメラニーの秘密を打ち明けた。

「メラニーは、本当にどうしようもない方向音痴なんです。私についてこられたのも、私を見失えば元の場所へ帰れないと自覚しているから。自分が野垂れ死にしないよう必死に食らいついているだけなんです」

「食らい、つく？」とこぼすエミディオに、ティファンヌは「そうです！」と力いっぱい頷《うなず》く。

「レアンドロ様の屋敷のように毎日生活する空間くらいなら覚えられます。ですが、王城なんて無理です。ヴォワールの城すら彼女は把握《はあく》できていないと思います。そんなメラニーがひとりで街を歩くなんて、夢のまた夢です」

　ティファンヌはメラニーの絶望的なまでの方向音痴を知っていた。だから、彼女が誘拐犯に指示を出すために街へ出ていたと聞いたとき、メラニーは絶対に犯人ではないと確信した。

「そんな方向音痴なメラニーがひとりで逃げるだなんて、比喩《ひゆ》でもなんでもなく自殺行為なんです」

「だから彼女は死を望んでいると？」

「はい」

「いま、彼女がどこに向かっているか見当は……」

「つくはずがありません。メラニーは目的地へたどり着けない人間ですから」

エミディオは目元を手で覆《おお》って深い深いため息をこぼした。

「せっかく内々に終わらせようと思ったのに……城内をくまなく兵士に探させて……いや、それだと発見した兵士が彼女に沈められてしまうし……」

ぶつぶつとこれからの段取りを考えるエミディオへ、ティファンヌはもう一度迎えに行かせてほしいと頼もうとして、レアンドロに止められた。不意に伸びてきたレアンドロの手がティファンヌの頬に触れ、そのまま顔を彼の方へ向けさせられた。

「ひとつ、聞かせてください」

「はっ、はひっ……」

振り向けばすぐにレアンドロの顔があり、ティファンヌは声が裏返ってしまった。しかし、自分を見つめるレアンドロの真摯《しんし》な瞳を見て、すぐに平静を取り戻す。

「彼女は主であるあなたに危害を加えました。彼女の考えはどうあれ、その事実は変わりません。そんな相手を、どうしてそこまで必死に助けようとするのですか？」

ティファンヌの頰に触れる手が僅《わず》かに震えているのを感じて、普段通りに見えるレアンドロが実は強い感情を押し込めているのだと気づいた。ティファンヌはその手に自分の手を重ね、深い海の底のように本心を見せようとしない瞳を覗き込む。

「メラニーの主は、私ではありません。七年前に亡くなった、リディアーヌお姉さまが彼女のただひとりの主です」

レアンドロの手がピクリと動き、背後から「七年前？」「リディアーヌ？」という声が届く。

「あなたがよく口にする『お姉さま』というのは、そのリディアーヌという女性ですか？」

ティファンヌは視線を落とし、眉《まゆ》をわずかにゆがめて「はい」と答える。

「七年前の政変で、お姉さまは戦火に巻き込まれて亡くなりました。私とメラニーは、その当時、城ではなく城下町の屋敷におりました」

城を飲み込んで燃え上がる炎を、赤く染まった曇天《どんてん》へ星のように舞う火の粉を、ティファンヌは鮮明に覚えている。当時はまだ公爵令嬢だったティファンヌが、メラニーと一緒に公爵家の屋敷の窓に張り付き、荒れ踊る炎を見つめた。

「メラニーは本当は、お姉さまを助けに行きたかったのだと思います。彼女はお姉さまだけに心を許していたから。だから、最後まで運命を共にしたかったはずです」

「どうして、すぐにでも後を追おうとしなかったのですか？」

「……私を守れと、お姉さまに命じられていたからです。ヴォワールという厳しい国で、力の弱い私が生き残るにはメラニーの存在は必要不可欠でした。もしも彼女がお姉さまの後を追って死んでいたら、遠からず私もそれに続くことになったと思います」

ティファンヌは重ねる手に力を込め、表情もみるみるゆがめていく。

「たとえお姉さまが死んだとしても、メラニーの中でお姉さまの命令は絶対でした。だからずっと、彼女は私に仕え続けてくれたのです。そんなメラニーだから、私は助けたい……助けたいんです！」

ティファンヌは顔を上げる。

「お願いします。メラニーを助けてください。彼女を死なせないで！」

手を伸ばせば触れられるほど近くにあるレアンドロの顔を見つめ、嘆願《たんがん》した。

「お願いします」と何度も口にするティファンヌを、レアンドロは黙って抱きしめ、そのままエミディオへと視線を送る。目が合ったエミディオは、肩をすくませた。

二人のやり取りをレアンドロの腕の中で見ていたティファンヌは、二人の曖昧《あいまい》な態度を仕方がないと思った。肝心《かんじん》のメラニーの居場所が把握できていなければ、何もできない。

「あ、ちょっと待ってください」

ずっと黙っていたビオレッタが、突然話に割って入った。しかも、全く明後日の方向を見つめて独り言をつぶやいている。見えない誰かと話しているとしか思えない独り言の後、やけに明るい表情でティファンヌへと振り向いた。

「精霊が、メラニーさんを見つけたそうです。しかも、すでにベネディクトさんの案内でディアナさんが向かっているそうです」

ディアナというと、確かベネディクトの婚約者となった元メイドの女性だ。彼女に関して、結局ティファンヌは情報収集できずじまいだった。

「ディアナ様が向かうというなら、任せて大丈夫でしょう」

「そうだな。叔父上《おじうえ》も一緒のようだし、万が一の時も問題ないだろう」

ティファンヌの頭上で、ディアナを知るレアンドロとエミディオが勝手に納得している。置いてきぼりを食らったティファンヌはレアンドロに抱きしめられたまま彼を見上げると、目が合ったレアンドロはにっこりと笑った。

「メラニーさんの心配は必要なくなりましたので、場所を変えましょうか、ティファ」

「え？　えと……はい」

有無を言わせない笑顔の迫力に負けて、ティファンヌはおとなしくレアンドロに連れられて貯蔵庫を後にしたのだった。

レアンドロがティファンヌに気をとられている間に貯蔵庫をひとり抜け出したメラニーは、

いったいどこを走っているのかすら把握できないまま庭を走っていた。城内に入ればドツボにはまると自覚していたので、まだ見晴らしがきいて運よく街へ出られるかもしれない庭を走ることにした。

のだが、いつの間にか入り込んでしまった生け垣の巨大迷路の袋小路《ふくろこうじ》で立ち尽くしていて、城内でも庭でも結果は変わらなかったかもしれない、とメラニーは思った。

袋小路から抜け出すには、引き返してすぐ傍にある角を曲がればいいだけなのだが、新しい道を探そうという気力がわいてこない。結局メラニーは、生け垣にもたれるように座り込んでしまった。

迷路の奥に迷い込んでしまったのか、自分を探しているだろう兵士たちの喧騒《けんそう》も聞こえず、あたりは静まり返っていた。高い生け垣によって切り取られた夜空を見つめて、このまま誰にも発見されず、自分はひっそりと死んでいくのだろうか、とメラニーは考えた。

それでいい、と思う。

このままメラニーが死ねば、ヴォワールの間者《かんじゃ》という疑いはメラニーひとりが背負えるはずだ。

自分に疑いがかけられたと知ったとき、メラニーが最初に思ったことは、どうすればティファンヌを守れるか、だった。自分が疑われるだけならいい。だが、メラニーはティファンヌの侍女《じじょ》であるから、当然のことながらティファンヌにも容疑がかかっていた。

どうするべきかと考えを巡らせていたところへ、兵士に変装したヒルベルトが現れた。ヒルベルトはヴォワールの間諜《かんちょう》と協力してメラニーを逃がすと言い、メラニーはその提案に乗ることにした。メラニーがティファンヌを残して逃げれば、ティファンヌは無関係だと欺《あざむ》きやすくなると思ったからだ。

ヒルベルトの指示通り動いて軟禁《なんきん》から逃れたメラニーだったが、天性の方向音痴《おんち》のせいで道に迷い、以前ティファンヌとやってきた書庫へたどり着いてしまった。ひとりで貯蔵庫へ向かうのは無理だと悟ったメラニーは、だったらこの書庫にある秘密の通路へ入ってしまおうかと考えた。

メラニーはヴォワールに対して忠誠心などこれっぽっちも持っていない。ヴォワールへ帰るつもりなど毛頭《もうとう》なく、ただティファンヌを置いてメラニーが姿を消したという事実が欲しいだけだ。ならばこのまま秘密の通路へ踏み込み、誰にも見つけられることなくひっそりと死んでいく方がいいかもしれない。

誰か来る前にさっさと秘密の通路へ向かおうとしていたところへ、あろうことかティファンヌが現れた。しかもティファンヌは、メラニーを助けるために部屋を抜け出したという。

メラニーは目の前が真っ暗になって、めまいすらした。メラニーが力ずくで軟禁から逃れたこの状況で、ティファンヌまで部屋から抜け出したとなったら、ティファンヌは共犯者と確定してしまうだろう。それでは意味がない。

この最悪の状況でティファンヌを助ける方法はひとつ。すべての罪を自分が被り、ティファンヌを無理矢理従わせている姿をアレサンドリの人間に見せるしかなかった。

漆黒《しっこく》の空にぽっかりと開いた金色の穴を見つめながら、メラニーは笑った。

いろいろと想定外のことが起きてしまったが、おおむねメラニーの計画通りに進んだだろう。ヴォワールの間者はメラニーだけで、ティファンヌはただおとりに使われたかわいそうな王女、という体《てい》をとれるはずだ。メラニーひとりにすべてを擦り付けることをティファンヌは嫌がるだろうが、きっとエミディオとレアンドロがよしなに取り計らってくれるだろう。

リディアーヌに託されたティファンヌは、本当に大切にしてくれる人を見つけた。アレサンドリの優しい人々と一緒なら、自分がいなくてもティファンヌは生きていけるだろう。

リディアーヌの命は果たされた。ならばもう、メラニーがここに留まる理由はない。

「早くあなた様のところへ逝《い》きたいです。お姉さま」

どこかうっとりとした声音《こわね》でつぶやいて、メラニーは抱えた膝《ひざ》に額をのせた。

「あらあらこんなところに……相変わらず迷子なのね」

呆《あき》れた様子の女性の声がかかり、メラニーはゆるゆると顔を上げる。先ほどまで迷路に十分な光を落としていた月が雲に隠れてしまったらしく、薄暗くなった視界に二人の女性のシルエットだけが見えた。

ひとりは女性にしては背が高く、もうひとりはなぜかモップを持っていて、けれどシルエットを見る限りエプロンやヘッドドレスはつけていないようだった。

もしかして、あまりにメラニーが見つからないので、城内の寮で暮らす使用人たちまで駆り出されたのだろうか。そうだとしたらあまりに申し訳ないので、メラニーは彼女に危害を加えずさっさと脇を通り抜けて逃げることにした。

「あら、敵前逃亡だなんてあなたらしくない」

モップを持つ女性の横を通り過ぎるとき、笑いを含んだ声が聞こえたかと思うと、背中へ向けてモップの柄《え》が振り下ろされた。メラニーは身を低くして避けると、くるりと転がりながら距離をとり、棍棒《こんぼう》を構えた。

「ディアナさん、私は奥で待っていますから」

背の高い女性だと思っていた人は男性だったようだ。ずるずると裾《すそ》を引きずるような服を着ていたため、女性だと思い込んでしまったが、もしかしたら神官だったのかもしれない。

残った女性――ディアナは、モップをくるりと回しながら構えた。

「ふふふっ。久しぶりに思い切り楽しめそうだわ」

弾んだ声でそう告げて、ディアナはモップの柄を振り回す。メラニーは棍棒でそれを受け止めるが、モップとは思えない強烈な一撃は、棍棒を持つメラニーの手にダメージを与えていた。

ただのメイドではないとやっと理解したメラニーは、出し惜しみせず本気でぶつかることにした。

しかし、どれだけメラニーが打ち込もうとディアナは軽やかにかわし、無駄のない動きで打ち返してくる。素早さと重さを兼ね備えたその攻撃を必死にかわしていたメラニーだったが、強烈な一撃をよけきれず棍棒で受け止めた結果、両手がしびれて力が入らなくなり、棍棒を取り落としてしまった。

片膝をつくメラニーの眼前に、モップの持ち手の先が突きつけられる。

「随分《ずいぶん》あっさりと負けたわね、メラニー。腕が鈍ったのではない？」

名前を呼ばれ、メラニーは顔を上げる。丁度よく雲から顔を出した月が光を降ろし、ディアナの顔を照らした。

妙齢の女性らしく柔らかく結い上げた髪、モップを突きつけるその立ち姿すら様になるすっと伸びた背筋、淡い紅がひかれた唇は弧を描き、濃紺《のうこん》の瞳は強く、それでいてすべてを包み込むような優しさをはらんでいた。

メラニーは目を皿のようにようにして彼女を見つめた。

「お、おおお、お姉さまぁっ！」

叫ぶと同時に飛びついてきたメラニーを、ディアナはひらりと避けた。勢いのまま地面にうつぶせに倒れたメラニーの背中に、ディアナの足がのせられる。

「久しぶりね、メラニー」

優しく笑いかけながら、ディアナは踏みつける足に力を込めた。久しぶりの感触に、メラニーは「あああぁん、お姉さまぁ！」と歓喜の声を上げた。

「あなたさっき、自ら死を選ぼうとしていなかった？　私の気のせいかしら？」

「気のせいじゃありませんっ、私、死のうとしてました！」

「そう……なんて悪い子なのかしら。悪い子には、お仕置きが必要ね」

「お仕置き……」と小さくつぶやき、メラニーは期待できらきらと輝く瞳で艶《あで》やかに笑うディアナを見つめた。


ティファンヌは王城に用意された自分の部屋にいた。秘密通路を使って抜け出した、あの部屋である。

光の神に頼み込んで部屋から脱出したというのに、当初の目的だった『メラニーを助ける』は無事に完遂《かんすい》できたのか、残念なことにティファンヌには断言できない。メラニーがどうなったのか、エミディオのもとに兵士が報告に来ることもないし、ビオレッタが精霊に話しかけられるということもないので分からないままだった。

ソファに腰掛けながら、ティファンヌはとにかく気が気ではない。そんな彼女を、エミディオとビオレッタが向かいのソファから、レアンドロはローテーブルの脇のあたりに姿勢よく立ちながら見つめている。

「ティファンヌ王女殿下。侍女《じじょ》が心配で落ち着かない気持ちは理解しますが、こちらにもいろいろと段取りがありますので、質問をさせてください」

ついにこの時が来た。ティファンヌは覚悟を決めながら「はい」と答える。

「あなたはレアンドロの妻になる以外に、何か使命を帯びてアレサンドリへやってきたのではありませんか?」

ティファンヌは脇に立つレアンドロへと視線を移す。レアンドロの静かな目をしばし見つめてから、エミディオへと向き直って、口を開いた。

「私は、ヴォワールの間者としてアレサンドリへやってきました。レアンドロ様の妻という立場を利用して知り得た情報は、どんな些細《ささい》なものであろうとすべてヴォワール国王へ報せよ、と命じられております」

ティファンヌはヴォワール国王に命じられたことをすべて話した。

自分の結婚式に出席するためにやってくる使者に、最初の情報を渡す手はずだったこと。そのために知り得た情報は紙にしたためてあったこと。誘拐犯《ゆうかいはん》が持っていた王城の地図もティファンヌが書いたもので、ヒルベルトが盗んでいたこと。ただ、ビオレッタの部屋に赤丸を付けたのは自分ではないときちんと説明した。

洗いざらいを話し終えると、重い沈黙が部屋を満たした。ビオレッタはやはりショックを受けているのか、膝の上の黒猫を抱きしめてしょんぼりとうつむいているのに、残りの二人はこれといった変化はない。それが余計に不気味に思えた。

やがて、エミディオが「ティファンヌ王女殿下」と声をかけ、ティファンヌは背筋を伸ばして「はい」と答える。

ティファンヌに下される罰は何だろう。ここはいったんティファンヌを牢《ろう》にでも拘束《こうそく》して、国王や宰相《さいしょう》と言った重鎮《じゅうちん》たちと今後の対応を話し合うのだろうか。それとも、すぐにでもティファンヌをヴォワールへ返すのだろうか。

様々な可能性を頭に巡らせるティファンヌへ、エミディオは告げた。

「実は、あなたがヴォワールの間者であることは最初から分かっておりました」

「へ…………えええええええっ!?」

「ティファァ、落ち着いて。口が開きっぱなしですよ」

ティファンヌが驚愕《きょうがく》のあまり口を開けて固まっていると、横からレアンドロの手が伸びてきて、優しくティファンヌの口を閉じさせた。

まぁ、優しい。と一瞬思いかけた自分の思考に喝《かつ》を入れ、ティファンヌはエミディオに詳しい説明を求めた。

「そんなの、普通に考えれば分かるでしょう。ヴォワールのようなきな臭《くさ》い国が、臣下でもいいから王女をもらってくれだなんて。十中八九裏がありますよ。だからこそ我々も結婚相手にレアンドロを選んだ。彼ならくだらない色仕掛けにかからないでしょうからね。そう、色仕掛けには」

なぜだかエミディオが『色仕掛け』の部分を強調し、レアンドロへと目くばせをした。レアンドロはレアンドロでニコニコ笑っているため、ティファンヌの胸がもやもやとした。

平凡な容姿のティファンヌに、色仕掛けなんて到底無理な話だ。それなのにわざわざそこを強調するだなんて、いやがらせ？　いやがらせなの？

「それならどうして断らなかったのですか？　今回の婚姻は、アレサンドリ側にとって何の利益もないはずです」

内心のイライラを見せないよう注意しながら問いかけると、エミディオは眉《まゆ》を下げて笑った。なんだか少し、困っているような表情だった。

「実は、あなたを知る人物から頼まれましてね。あなたをヴォワールから解放してほしい、と」

「私を、ヴォワールから解放する？」

考えずにつぶやいて、ティファンヌの心が湧き立った。

ヴォワールから解放される。そんなこと、可能なのだろうか。ずっとずっと、ヴォワールという国に縛《しば》られて生きてきたティファンヌにとって、それは想像すらできない事態で、けれど、考えるだけで心が軽くなった。

「いったい、それは誰がおっしゃったんですか？」

ティファンヌにアレサンドリの知り合いはいないはずだ。もしかして、ビオレッタが精霊から話を聞いて言い出したのだろうかと視線を向けてみれば、彼女は膝の上の黒猫と遊んでいた。

「その人物に関しては、また後でご紹介します。あなたの侍女が保護できたら、すぐに知らせをよこしますから、それまではこの部屋でレアンドロと共に待っていてください。ビオレッタ、お暇《いとま》しますよ」

「あ、はーい」と明るく答えてビオレッタは立ち上がり、膝の上でじゃれていた黒猫は無情にも床へ落っこちていた。

扉へと向かうエミディオたちを見送るため、ティファンヌもソファから立ち上がって扉へ向かう。レアンドロが開いた扉の向こうへエミディオとビオレッタが消えていくのを、ティファンヌは頭を下げて見送った。

やがて、扉が閉まる音が部屋に響き、姿勢を正したティファンヌをレアンドロが抱きしめた。レアンドロの匂《にお》いに包まれ、ティファンヌの緊張で強張《こわば》っていた身体《からだ》が弛緩《しかん》していく。

自分がヴォワールの間者であると明かせば、もう顔も見たくないと言われると思っていたのに、また抱きしめてもらえたことが純粋にうれしい。

と、そこではたと気づく。そういえば、尋問をした騎士が言っていたではないか。レアンドロがティファンヌに会いたくないと言っていたと。

「あの、レアンドロ様？」

「何でしょう。離してほしいというお願いは聞けませんよ。あなたが無事であると実感しているところなのですから」

そうだったのかと思いつつ、「違います、質問があるんです」と切り出す。

「騎士の尋問を受けたときに、レアンドロ様は私に会いたくないと言っていたと聞きました。あれって、騎士の嘘だったんですか？」

「嘘じゃないですよ。本当です」

まさかの肯定に、ティファンヌは目の前が暗くなった。

「あぁ、勘違いして落ち込まないでくださいね、ティファァ。確かに、私はそう言うよう騎士に指示をしましたが、あれは私の本心ではなく、あなたを落ち込ませるためだったんです」

落ち込ませようとしたなんて、やっぱり、いやがらせなのだろうか。

「あなたに部屋から出てほしくなかったんですよ。落ち込めばそんな元気もなくなるかと思ったわけですが、結局無意味でしたね」

「申し訳、ありません……」

「本当ですよ。せっかく安全な場所に隠しておいたというのに、自分から飛び出してしまうんですから。しかも巫女様を庇《かば》って自ら危険に飛び込んでしまう」

「…………………」

ティファンヌは何も言えなかった。貯蔵庫で謝ったとき、謝らないでほしいと言われたばかかりだからだ。だからといって他にいい言葉も見つからない。

「……あなたが、危険を顧《かえり》みず巫女様を突き飛ばしたとき、巫女様を守れと言ってくださらなかったら、私はあなたを助けに行っていたかもしれません」

レアンドロは抱きしめる腕の力を弱め、驚きで目を丸くするティファンヌの顔を覗《のぞ》き込んだ。

「光の巫女の騎士として、私は巫女様の剣となり盾となり生きていくつもりでした。その決意が初めて揺らいだとき、他ならぬあなたが私を止めてくださいました。あなたのおかげで、私は私の理想の騎士でいられました。それは感謝してもしきれません」

レアンドロは感謝を述べながら、その表情は、どこか苦しそうだった。おもむろにティファンヌの手を取り、持ち上げて頬《ほお》を摺《す》り寄せたかと思うと、手のひらに唇を落とす。

「ですが同時に、私は後悔しました。自分の理想という狭い生き方のために、ティファァを失うかもしれないと実感したからです」

「レアンドロ様……」

「そうしたら、それを光の巫女様に見抜かれてしまいました。巫女様は腑抜《ふぬ》けとなった私の頬を叩いて、大切な人を守れない者は騎士じゃないとおっしゃいました」

初めて知る事実に、ティファンヌは思わずレアンドロの頬をまじまじと見つめてしまった。

ティファンヌの視線に気づいたレアンドロが、気恥ずかしそうに苦笑する。

「失いそうになって初めて痛感したのです。ティファァ、私はあなたが好きです」

ティファンヌは目を見開いて息すら止める。

いま、レアンドロはなんと言った？　ちゃんと聞こえて、理解しているはずなのに、頭も心もその事実を受け止め切れていない。

レアンドロは硬直したままのティファンヌを両腕から解放すると、跪《ひざまず》いてティファンヌの両手をとった。

「ティファンヌ・フォン・ヴォワール様。私と、本物の夫婦になっていただけますか。私はあなたを恋い慕《した》っております。始まりは政略で、お互いに本心を見せられない関係ではありました。けれど、全てを打ち明け合った今だからこそ、本当の夫婦になれると思うのです」

ティファンヌを見上げるレアンドロは頬を染め、はにかむように微笑《ほほえ》んでいる。その幸福で満ち満ちた表情を自分に向けてくれているのだと思うと、ティファンヌは幸せすぎて――辛《つら》くなった。

「ごめん、なさい……」

恋をした相手が自分に恋をしてくれる。

愛する人と、結婚する。

人並みの、いやそれ以上の幸福が目の前にあるというのに、ティファンヌは手を伸ばすことができない。

「私は……幸せになってはいけないのっ」

ティファンヌに幸せになる権利はない。

自分の浅はかな行動で、数えきれない人を不幸にしておきながら、ティファンヌが幸福をつかむだなんて、許されるはずがない。

ティファンヌの返事を受けて呆然《ぼうぜん》としていたレアンドロだが、ティファンヌの様子がおかしいことに気付いて立ち上がる。

「ティファァ？」

「ごめんなさいっ、ごめ、ごめんなさい！」

「ティファァ、しっかりするんだ。何がそんなにあなたを苦しめているのです？　お願いです。話してくださいませんか？」

ティファンヌの両肩を抱いて、レアンドロは顔を覗き込みながらゆっくりゆっくり、幼子に言いきかせるような優しい声音で言った。

落ち着きなく揺れ動いていたティファンヌの視点がレアンドロに定まり、震える唇で言葉を紡《つむ》ごうとしたとき。

「レアンドロ様、ティファンヌ王女殿下、王太子殿下が執務室へお呼びです。メラニー様が無事に保護されたそうです」

メラニーと聞き、ティファンヌははっと我に返って扉へと顔を向ける。

「メラニー……メラニーが無事に保護された……は、早く行きましょう、レアンドロ様！」

レアンドロを急《せ》かすティファンヌだった。

レアンドロに先導されてエミディオの執務室を目指していたティファンヌは、いつものティファンヌだった。執務室の扉の前に立つメラニーを遠目に見つけたとたん、レアンドロを追い抜いて駆け出した。

「メラニー!」

声をかけ、振り向いたメラニーの胸に飛び込もうとして、彼女の向こう側に立つヒルベルトを見つけ、足が床に縫《ぬ》い付けられたかのように動かなくなった。両手を伸ばした格好のまま、しかし動かないティファンヌを見て、優秀な侍女であるメラニーは、自分からティファンヌの腕の中に吸い込まれに来てくれる。

「よかった……メラニー、どこもケガはしていない?」

「はい。ご心配には及びません」

ティファンヌはメラニーから離れて本当に無事かどうかを確認する。見える部分にケガは見当たらないが、ドレスには土汚れが目立った。

「あの、メラニー。ドレスが汚れているのだけれど、私がきれいにしましょうか?」

「いいえ、結構です。王女様。これは、勲章ですので」

ティファンヌにはメラニーが何を言っているのか微塵《みじん》も理解できなかった。ただ、メラニーがこんなに満ち足りた表情をするのは久しぶりだった。

メラニーの無事を確かめられて、ほっと胸をなでおろしたティファンヌは、メラニーと一緒にエミディオの執務室の扉を守っていた人物をメラニーの背中越しに見つめる。

「そんなあからさまに警戒した目で見なくてもいいじゃないですか。もう俺はティファンヌ様に危害は加えませんよ？」

ヒルベルトがいつもの屈託《くったく》のない笑顔を浮かべていた。しかしその顔はあざだらけで、左目に至ってはどす黒く腫《は》れ上がりほとんど目が開いていない。ヒルベルトに近づけないのは、警戒しているというのもあるが、彼の顔があまりにおどろおどろしくて怖いというのが正直な気持ちだった。

ヒルベルトの顔についてはとりあえず脇へ置いて、なぜ彼がメラニーと一緒にいるのだろう。貯蔵庫でレアンドロに叩きのめされ、エミディオが連れて来た兵士によってどこかへと連れていかれたはずなのに。

ティファンヌは周りを見渡してみる。廊下《ろうか》にはヒルベルトを見張る兵士の姿はない。

「本当に本当ですってば、信じてくださいよ。今回の騒動だって王太子殿下の命令だったんですからね」

いまいち信用できず、ティファンヌが疑いの眼差《まなざ》しを送っていると、追い付いてきたレアンドロが「本当ですよ」と説明する。

「ヒルベルトは王太子殿下が持つ間諜《かんちょう》のひとりです。今回、あなたの輿入《こしい》れに乗じて紛《まぎ》れ込ませるであろうヴォワールの間諜をあぶりだし、かつ、アレサンドリの『保守派』に混ざり込んでいる『強硬派』を浮き彫りにするために、ヒルベルトに働いてもらったのです」

「そういうことで～す」とヒルベルトは今回の騒動の顛末《てんまつ》を話してくれた。

まず、ティファンヌの到着前にヒルベルトは『保守派』に潜り込んでそれとなく自分の素性をにおわせておく。すると、ティファンヌの護衛にヒルベルトがついたと分かるなり、『強硬派』の貴族たちがヒルベルトに接触してきたのだという。

「いやぁ、こんなに簡単にエサに食いついてくれるとは思ってもみませんでした」

「『強硬派』とは単細胞の集まりですから。分かりやすいエサの方が食いつきがいいんですよ」

なぜだろう。語り合うレアンドロとヒルベルトは爽《さわ》やかな笑顔を浮かべているのに、ティファンヌは寒気がした。

「でもまさか、ティファンヌ様を殺そうとするとは予想していませんでしたけどね」

「えっ、じゃあ……あの襲撃にヒルベルトは関わっていないの？」

ヒルベルトは肩をすくませてから、うなずく。

「『強硬派』の信用を得るために情報は流していたんで、全くの無関係ではありませんけどね。でも、普通に考えてティファンヌ様を殺したってアレサンドリになんの益もないでしょう。それどころか、最悪戦争になる。まぁ、それが奴らの狙いという可能性もありますが」

「そこまで考えられるのなら、そもそも『強硬派』になど与《くみ》しないと思うがな」

レアンドロの切り捨てるような言葉に、ヒルベルトは「ですよねー」と同意した。

「とにかく、『強硬派』が俺たちの予想を超えた脳筋だと分かったので、計画を早めることにしたんです」

「それが、今回の誘拐未遂《ゆうかいみすい》事件？」

「そうです」と頷《うなず》いて、ヒルベルトは説明を続ける。

ビオレッタ誘拐の嫌疑をティファンヌにかけたのは、『強硬派』が動き出すための大義名分を与えるためだった。今回の誘拐未遂事件で、ティファンヌがヴォワールの間者《かんじゃ》である可能性が極めて高いとなれば、様子見をしていた準『強硬派』たちも動くだろう。軟禁されているティファンヌを亡き者にしようと差し向けられる刺客《しかく》たちを捕縛《ほばく》し、そこから依頼主を特定していけば、誰が『強硬派』であるか明確にすることができる。後は他の貴族への見せしめとして後日制裁を加えればいい。

「私のティファァに危害を加えようとしたのです。隠居後の生活が楽しみですね」

ティファンヌは鳥肌の立つ両腕をなでさすりつつレアンドロから視線をそらした。何が怖いって、これだけ恐ろしいことを言っているにもかかわらず、レアンドロの笑顔に翳《かげ》りが全く見えないことだ。

「『強硬派』に対する罠《わな》を張り終えたところで、次はヴォワールの間諜です。ここで、『強硬派』の強引な一手が役に立ったんですよ」

ティファンヌを庇《かば》ってヒルベルトがケガをしたことにより、ヴォワールの間諜はヒルベルトがティファンヌの味方であると認識したらしい。捕まってしまったメラニーとティファンヌを助け出すため、ヴォワールの間諜はヒルベルトに接触してきた。ヒルベルトは間諜たちに協力するふりをしながらメラニーを泳がせ、間諜を連れて貯蔵庫に現れたところをヒルベルトが押さえる、という計画だった。

「メラニーさんが救いようのない方向音痴《おんち》だというのは知らなかったので、いつまでも貯蔵庫へ現れなかったときは正直焦りましたよ」

「そ、そんな……それじゃあ、アレサンドリへ来てから起こった事件は、全て王太子殿下が一枚噛《か》んでるってことじゃない！　なんて恐ろしい方なの」

ティファンヌが青い顔で身震いしていると、「失礼な」という声とともに執務室の扉が開いた。

現れたエミディオはすぐに扉を閉め、両腕を組んで心外だと言わんばかりにティファンヌをにらみつけていた。

「言っておきますが、段取りを考えたのは私ですが、最初に言い出したのはレアンドロですよ」

にわかに信じがたい証言だったが、ティファンヌはレアンドロへ確認してみる。

レアンドロは邪念のまったく感じられない美しい笑みを浮かべて言った。

「はい。私が王太子殿下へ申し上げたのです。どうせヴォワールの間諜をあぶりだすなら、それをエサに『強硬派』もはっきりさせられませんでしょうか、と……あれ？　突然震えだしてどうしたのですか、ティファ。顔色も悪いですし、心労がたまってきたのかもしれませんね」

レアンドロはぷるぷると震えだしたティファンヌをいたく心配し、何とか慰《なぐさ》めようと頭をなでるのだが、余計にぷるぷるぷるするだけだった。

「ですが、ヒルベルトがティファを本気で害そうとしたのは想定外でした。……ヒルベルトの過去を思えば、当然の行動だったのかもしれませんがね」

レアンドロは眉根《まゆね》を寄せて苦く笑った。

「レアンドロ様は、ヒルベルトの過去をご存じだったのですね」

「ええ。『強硬派』を釣るエサに、ヒルベルトは最適だったんですよ。ですが、リスクが高いのも分かっていました」

「レアンドロ様は悪くないですよ。全部、俺が悪いんです」

ヒルベルトは達観したような笑顔で、ため息をこぼした。

「今回の話を王太子殿下から持ち込まれたとき、俺はレアンドロ様と何度も話し合ったんです。ちゃんと自分で納得して、ティファンヌ様の護衛を引き受けました」

「ヴォワールの王女である私を……恨んではいないの？」

口にしながら、ティファンヌは我ながら無神経なことを言っている、と思った。しかし、聞かずにはいられなかった。

　ヒルベルトは痛みをこらえるように目を眇《すが》め、「恨んでいますよ」と答えた。

「ヴォワールに対する恨みは、一度だって忘れたことはない。この七年間、ヴォワールに復讐するためにヴォワールについていろいろと調べました。でも、調べれば調べるほどヴォワールという国の悲惨《ひさん》さが浮き彫りになりました」

　だからと言って、ヒルベルトの恨みが消えることはない。家族が、国民が、国が踏みにじられたときの悔しさ、腹立たしさ、やるせなさはいつまでも鮮明にヒルベルトの心に刻まれている。

「俺たちと同じ思いをさせてやりたい。ずっとそう思っていたのに、ヴォワールの人々は過酷《かこく》な世界で生きていました。彼らを恨んで、何になるのだろうと思ったとたん、目印がなくなったみたいに動けなくなりました。そんなときに、ティファンヌ様の護衛の話が来たんです」

　ヒルベルトは、レアンドロに自分の気持ちをすべて話した。迷って、戸惑って、悩んでぐちゃぐちゃになってしまった心の内を吐露《とろ》した。

「話すうちに、考えがすっきりして行って、気づいたんです。真に恨むべきは、ヴォワールにはびこる『武力こそがすべて』という思想なのだと。本当の意味で復讐したいのなら、現在の王を追い落とすだけじゃ意味がない。ヴォワールという国そのものを変えていかなければならない」

ヒルベルトはティファンヌをまっすぐに見つめる。

「だからあなたの護衛を引き受けました。ヴォワールを変えるためには、まずヴォワールと友好的な繋《つな》がりを持たなければならない。私は本当の意味での復讐を成すために、ヴォワールに対する恨みを押し込めました。ですが……」

ヒルベルトは腕を組みながら長い息をひとつ吐き、ティファンヌから顔をそらした。

「どうしても、ふとした時に湧き上がってくるんですよ。憎しみが。これはもう、どうしようもありません。頭では無意味だと分かっていても、あなたに憎しみをぶつけてしまいそうになるんです」

ヒルベルトは衝動を抑えるように右手をぐっと握りしめた。

「俺が必死にこらえていたっていうのに、あなたは貯蔵庫にホイホイと現れるし……。あれだけおあつらえ向きな状況になって、我慢なんてできるわけがないでしょう。もうこれは神様が俺に与えてくれたチャンスなんだと思いました。ま、結局返り討《う》ちにあいましたけどね」

「それは、その……ごめんなさい」

「……いいんですよ。レアンドロ様が乱入してくることは何となく予想していましたし。止めてくれる人がいるからこそ、俺は長くくすぶっていた心を爆発させることができたんだ。それはたぶん、他の仲間たちも同じだと思います。むしろ、俺たちのガス抜きに付き合わせてすみませんでした」

ヒルベルトは姿勢を正してティファンヌに頭を下げる。ティファンヌに促《うなが》されて顔を上げたとき、すでに彼はいつもの笑顔に戻っていた。

明るい笑顔が、ティファンヌの心を締め付ける。ヒルベルトがどんな想いでティファンヌに笑いかけているのか。きっとティファンヌが想像する以上の苦悩や葛藤《かっとう》を心の奥底へ押し込めているのだろう。それが時々噴き出して、ティファンヌは殺気として感じてしまう。これはもう、仕方がない。ヒルベルトが抑えきれなかった憎しみを受け止めること。それがティファンヌの義務だ。

ティファンヌの表情から何かを悟ったのだろうか、ヒルベルトとティファンヌの間に、レアンドロが割り込んだ。

「ヒルベルト。次にティファァへおかしな真似をしてみろ……」

「ししししません！」

ティファンヌが一度として聞いたことがなかった低い声でレアンドロが凄むと、ヒルベルトの顔からみるみる血の気が引いていった。ティファンヌにはレアンドロの背中しか見えないが、ヒルベルトの顔から血色を奪うくらいだから相当怖い顔をしているのかもしれない。

「そこまでだ」と、エミディオが手をたたいて二人のじゃれ合いを止めさせる。ヒルベルトとメラニーは扉の左右にそれぞれ移動し、扉の中央に立つエミディオが、いつになく優しい表情を浮かべて言った。

「さぁ、レアンドロとティファンヌ王女殿下は中へ。王女殿下に会わせたい方がいるんです」

「私に、会わせたい方？　それってもしかして、私のことを以前から知っているという方ですか？」

ティファンヌの問いには答えず、エミディオはヒルベルトとメラニーに目線で合図を送る。二人はそれぞれ左右の扉のノブを持ち、執務室の扉を開け放った。

エミディオの執務室は、扉から正面奥に執務机があり、執務机と扉の間は訪問者が数人並べるようにだろう、広い空間ができている。

その空間に、ビオレッタとベネディクト、そして二人の向こうに、もうひとり女性が立っていた。

エミディオとレアンドロに促されて、ティファンヌは執務室へと足を踏み入れる。背後で扉の閉まる音が響くと、示し合わせたように、ベネディクトとビオレッタが左右に下がり、女性が目の前に現れた。

温かみのある深緑のドレスを纏《まと》う女性は、ティファンヌを見て、春の日差しのような笑みを浮かべた。

その笑顔に、ティファンヌは見覚えがあった。けれどまさか、そんなはずはないとティファンヌは小さく首を振る。

記憶の彼女より頬《ほお》がほっそりとしていて、記憶の彼女より目元が柔らかい印象になっていた。

「ティファ、大きくなったわね」

声は記憶よりも少し艶《つや》が増して、歩く姿は優雅になった。ティファンヌの手をつかんだ両手は記憶よりも指が細長くなっていて、少し荒れた気がする。けれどその手の温かさは、記憶の中の彼女と全く変わらなかった。

「リディアーヌ……お姉さまなの？」

ティファンヌの震えた声の問いに、リディアーヌ――ディアナは、記憶と同じ笑顔でうなずいた。

「でも、でもっ……お姉さまは、七年前、し、城と一緒に燃えて……」

ティファンヌの目に涙があふれだす。声が詰まって、うまく言葉にできない。

「七年前、わたくしはミシェル様によって逃がされたの」

ミシェルとは、ティファンヌの従兄《いとこ》であり、先代の王太子であり、リディアーヌの夫だった人だ。

「ミ、ミシェ、ル……おに、様は？」

「逃げたのはわたくしだけよ。ミシェル様も、他の人たちも、皆誇りを貫いて死んでしまったわ」

皆死んでしまった。分かっていたことなのに、いざディアナの口からきいた途端、ティファンヌの心は限界を迎えた。

震える身体《からだ》を支えていた両足から力が抜け、ディアナの足元にティファンヌはうずくまる。傍に控えていたレアンドロが立ちあがらせようと膝をついて手を伸ばしてくれたが、それに見向きすらせずティファンヌは床に額《ぬか》づいた。

「ごめんなさい、ごめんなさいっ、お姉さま！」

しかし、ティファンヌのただならぬ剣幕に、ディアナも膝をついて彼女を起き上がらせようとする。

「お姉さま、ごめっ、ごめんなさっ……許してなんて言わない。全部私のせいだもの。ごめんなさいっ、ごめんなさい！」

「ティファ、ティファ！　いったいあなたに何があったというの？　話しなさい。すべてを話すのよ！」

びくりと身体を震わせ、ティファンヌは謝ることをやめた。そして、相変わらず両手を床につけた格好のまま、ティファンヌは自分の罪を語りだした。

七年前。十歳だったティファンヌは、日々の努力が実り、身を隠す能力を使って兄や姉たちを出し抜けるまでになっていた。城の隠し通路さえも看破《かんぱ》できるようになり、どれだけ警備が厳しい場所だろうと潜り込めるようになっていた。

ある時はリディアーヌの部屋に現れ、またある時は国王の寝室に現れた。かと思えば城下町を食べ歩いていたりと、とにかくどこに現れるかわからない存在として、ティファンヌはヴォワールの人々に認識されつつあった。

そんなときに、ティファンヌは父に呼び出された。

父に呼び出されるなんて、幼いころなら考えられないことだったが、ティファンヌの身を隠す能力がすごいと認知されるようになったころから、時々呼び出されるようになった。そういう時は、たいてい何かを持って行ったり取りに行ったりするお使いを頼まれた。

だからその日も、いつものお使いだと思った。

『ここ数日、兄上のお加減が悪い。よく効くという薬を調合したから、持って行ってくれ』

ティファンヌは不思議に思った。兄の身体を心配して贈るものなら、自分で直接渡した方が誠意が伝わるのではないかと。

するとと父は言った。

『私と兄上は、先代が生きていたころ貴族たちの政争の旗印にされた。そのせいで、兄上の周りにいる貴族たちは私がいまだに恨みを持っていると思っているんだ。だから私から兄上へ何かを渡そうと思っても、周りが握りつぶしてしまい、受け取ってもらえないんだよ』

そういうことならと、ティファンヌは納得して父から薬を受け取った。赤い紙に包まれた薬を持って、ティファンヌは伯父《おじ》である国王のもとを目指した。直接渡してほしいと言われたので、夜、メラニーさえも部屋に引き上げてしまう時間、ティファンヌはひとりで王城に潜入し、伯父の寝室を目指した。

伯父はティファンヌが秘密の通路を開ける音で目覚め、すぐにティファンヌだと気づいて笑顔で出迎えてくれた。ティファンヌを膝の上にのせて、こんな夜中にひとりでやってきた理由を尋ねた。

『そうか、薬を私に……あぁ、ティファンヌが私の身体を慮《おもんぱか》って持ってきてくれた薬だ、きっとすぐよくなるだろう。明日、元気な姿を見せるから、楽しみに待っているといい』

優しく頭をなでてもらってから、ティファンヌは国王の寝室を後にした。

「翌日、国王が亡くなったという報《しら》せが届きました。そうして私は気づいたのです。あの薬が、毒だったということに！」

国王が死ぬなり、ティファンヌの父は戦《いくさ》の準備を始めた。そして国王の喪《も》が明けぬ間に、父は謀反《むほん》を起こした。

公爵家の屋敷の窓から見つめた燃え盛る赤が、ティファンヌの脳裏《のうり》にこびりついて離れない。

火を放ったのはティファンヌではないけれど、始まりの火種を起こしたのはティファンヌだ。

「ごめんなさい、ごめんなさい！　私のせいだっ……私のせいで死んじゃった……みんなみんな私のせいよ！」

兵士の咆哮《ほうこう》が聞こえる。悲鳴が、怨嗟《えんさ》の声が、赤い炎とともに立ち上った様々な声を、ティファンヌは忘れることができない。

「お姉さま、お姉さまお願い！　私に罰を頂戴《ちょうだい》。私は罰せられなくてはならない」

「罰？」とつぶやいたディアナを、涙に暮れるティファンヌは縋《すが》るように見上げた。

「私は罪人だから……私のせいで、たくさんの人が亡くなったから……だからお願い、罰を頂《ちょう》戴《だい》、お姉さまっ、私はもう、苦しくて苦しくて仕方がないの」

大きな罪を犯してしまったから、罪に見合った罰が欲しい。許されたいわけじゃない。許されるはずがない。ただ、償《つぐな》いがしたいのだ。

ディアナは涙でぐちゃぐちゃとなったティファンヌを見て、そして、彼女のすぐ傍に膝をついて寄り添うレアンドロを見た。ディアナの視線はやがてティファンヌへ戻り、床についたままの彼女の両手に自分の両手を重ね、言った。

「償いを望むのであれば、レアンドロと結婚なさい。そして、幸せになるの。幸せになること、それがあなたに下す罰よ」

「しあ、わせに……？　だって、それじゃあ償いにならない！」

ティファンヌの問いを、ディアナは頭を振って否定した。また取り乱しそうになるティファンヌの目を覗き込み、「聞きなさい」と言い聞かせる。

「罪の意識に苛《さいな》まれるティファにとって、幸せになることが何よりもつらいことよ。そうでしょう？　だから、あなたは幸せになりなさい。あの日死んでいった人たちの分まで、生き残ったあなたは幸せにならなくてはならない」

「私のせいで、死んだのに……その人たちの分まで幸せになるなんて、許されるの？」

「あなたのせいじゃない。わたくしが何度言おうと、あなたの罪の意識が軽くなるわけではないのでしょうね。でも、これだけは考えて。義父様やミシェル様は、自分の分まであなたが幸せになったら、怒ると思う？」

そんなもの、分かり切っている。あんなに優しかった二人がティファンヌを怒るはずなんてない。きっと、幸せになってほしいと願うはずだ。

そこまで考えて、気づいた。今の自分の姿を見たら、伯父やミシェルは悲しむだろう。

そして何より、目の前にいるディアナが悲しむ。せっかく生き残ってくれたディアナが。本当の意味で、死んだ人たちの分も生きていくべきディアナが、罪の意識に苛まれるティファンヌのせいで、心を痛めてしまう。

七年前の政変を生き抜いた人が、目の前にいる。

その人のための償いは、そのままディアナが幸せになれる償いにするべきだ。

「私が幸せになったら、お姉さまは幸せになりますか？」

「ええ、なれるわ。これ以上ないくらいに幸せに」

ディアナは笑った。幸せそうに。

悔恨《かいこん》の色で塗りつぶされたティファンヌの心に、新しい色を見つけられそうな気がした。

「レアンドロ、ティファをよろしくお願いします。どうか、幸福で包んであげてください」

「分かりました。ティファの償いができるように、彼女を幸せにします」

レアンドロの返事を聞いて、ディアナはゆっくりとその場から退いた。立ち上がって数歩下がったディアナの傍に、ベネディクトがそっと寄り添う。

ディアナが座っていた場所、ティファンヌの正面に、レアンドロが膝をついた。そして、いまだ床についたままのティファンヌの両手をつかみ、持ち上げて握りしめる。

「あなたの罪を一緒に背負いたい。そんな言葉は、深く悔いるあなたにとって何の慰《なぐさ》めにもならないのでしょう。だから私は、あなたを幸せにします。あなたが償い続けられるように。一生を償いに捧げられるように。ティファ、二人で幸せになりましょう」

ティファンヌの目を見つめて、レアンドロは笑った。朗らかで、ティファンヌの胸を温める笑みだった。

ティファンヌはレアンドロの胸に飛び込み、泣き喚《わめ》いた。七年間、誰にも打ち明けることすらできなかった後悔を、心から吐き出すように。

レアンドロはそんな彼女を胸に抱きしめて、ただ黙って頭をなでた。

「本当に、ティファンヌ王女殿下が持って行った毒が前ヴォワール国王を殺したのでしょうか？」

ティファンヌとレアンドロが執務室を出て行き、エミディオ、ビオレッタ、ベネディクト、ディアナの四人だけとなったところで、エミディオがぽつりとつぶやいた。

この場にいる全員が思い浮かべた問いに、ディアナは「違うでしょうね」と頭を振った。

「前ヴォワール国王は聡明な方でした。姪《めい》であるティファンヌをそれはもうかわいがっていたけれど、だからといって持ち込まれた薬を安易に口にするほど愚かではありません」

「政敵である弟が運ばせた薬など、まともな人間ならまず口にしないでしょうね」

「わたくしには、真実は分かりません。証拠もない憶測で慰めたとしても、ティファの心は軽くならないでしょう。いまはただ、前を向いて生きてくれるならそれで充分です」

ディアナはうつむき、膝の上で重ねた自分の両手を握りしめる。するとその手の上に、大きな手がのせられた。ディアナが顔を上げれば、ベネディクトがすぐ隣へ身を寄せていた。

「ティファンヌさんの心を少しでも軽くできるよう、幸せになろう、ディアナ」

そう言って、ベネディクトは温かな笑顔を浮かべた。

「……はい」

ディアナは微笑《ほほえ》んで、ベネディクトの胸に頬《ほお》を寄せた。


ティファンヌがアレサンドリへ輿入《こしい》れをして、半年が過ぎた。

ティファンヌとレアンドロの結婚式は予定通り行われ、その際、アレサンドリ側の使者に紛《まぎ》れ込ませていた間諜《かんちょう》たちをお返しし、今後ヴォワールがアレサンドリに対して危害を加えないよう、人質《ひとじち》としてティファンヌとメラニーはアレサンドリへ残ることになった。

ティファンヌたちとヴォワールの人間との交信は一切禁止という厳しいものだったが、代わりに食糧支援の継続が提示されたので、ヴォワールの使者は二つ返事で了承した。

晴れてヴォワールの間者《かんじゃ》という疑惑から解放されたティファンヌとメラニーは、アレサンドリという新天地でそれぞれの道を進むことに決めた。

ティファンヌが幸せになるのを見届けるという命令をやりとげ、本当の主であるディアナのもとへと戻ったメラニーは、なんと、光の巫女専属の護衛となった。そこらの騎士くらいなら数人まとめて叩き伏せられる実力と、ヴォワールの伯爵家令嬢という確かな身分により抜擢《ばってき》された。

ただ、全く問題にならなかったわけではない。ビオレッタ誘拐未遂《ゆうかいみすい》事件に関してはエミディオの自作自演だったため事件そのものが公《おおやけ》となっていなかったが、それでも貴族たちは耳ざとく聞きつけ、メラニーが護衛につくことに難色を示したのだ。

ならば、メラニーが護衛にふさわしいかどうか試そうということになり、主要な貴族が集まる場で、メラニーは騎士たちと手合わせを行うことになった。一対多数であるにもかかわらずメラニーの圧勝で終わり、貴族たちがむしろメラニーに対する警戒を強めたところへ、ディアナが登場したそうだ。

ティファンヌはその場にいなかったためよくわからないのだが、ディアナとメラニーの戦いを見た貴族たちは、メラニーがディアナに逆らうことは絶対ないと納得したようだ。そうして、見事メラニーはビオレッタの護衛に大抜擢《だいばってき》されたらしい。

メラニーのおかげで三日に一度の誘拐から解放されたビオレッタは、大喜びするかと思えば複雑な顔をしていた。彼女曰《いわ》く、「普段は優秀で気が利《き》く素敵護衛なんだよ。ただ……ディアナさんに会った時に、ね。別の扉が開きそうで怖いの」とのこと。

ティファンヌは幼いころから二人が一緒にいるところを何度となく見てきたが、ビオレッタがいったい何を指して話しているのか見当がつかなかった。

メラニーの恩恵を受けたのは、ビオレッタだけではなかった。護衛が誘拐犯になったとき用の護衛を務めていた、レアンドロもだった。

メラニーという安心の専属護衛をビオレッタにつけられたため、レアンドロは四六時中ビオレッタを遠くから見守る必要がなくなった。

つまり、屋敷へ帰れるようになったのである。

宿直はあるので毎日とはいかないが、宿直以外の日は屋敷へ帰ってくるようになり、ティファンヌが広いベッドでひとり寝をする夜もぐんと減った。

ティファンヌの大きな変化はひとつ。幸せになった。

お昼をレアンドロのもとまで持って行き、一緒に食べることが習慣となったことと、レアンドロに手ずから料理を食べさせなくなったことも変化と言えるかも知れない。

レアンドロに騙《だま》されていたと知ったのは、ビオレッタが教えてくれたからだ。最初は横に並んで食べさせ合っていたのが、最近はティファンヌをレアンドロの膝に座らせたがるようになったため、アレサンドリの人々はどれだけスキンシップが激しいんだと思いビオレッタに相談してみたところ、発覚した。

それからしばらく、ティファンヌはレアンドロのもとへお弁当を届けなくなったし、家でも食べさせ合いはしなくなった。

レアンドロが誠心誠意謝罪し、さらにハビエルやサンドラにまで頭を下げられたティファンヌは、最後には折れてお弁当を再開した。

レアンドロとの昼食（食べさせ合ってはいない）を終えたティファンヌは、ヒルベルトを連れて場内を徘徊《はいかい》した。

最近ティファンヌが注目しているのは、ハビエルが毎号欠かさず用意してくれるゴシップ誌で知った、洗濯《せんたく》係のメイドと騎士のラブロマンスだ。記事には二人が恋人のように報じられていたが、ティファンヌが観察する限り、騎士の片思いではないかと思う。

洗濯係は城のあらゆる汚れ物を洗濯する。その中には騎士たちの服も当然含まれており、騎士は、洗濯し終えた彼の服を手渡してくれるメイドの笑顔に心奪われたのだろう。きっと結婚後の生活を妄想してしまったに違いない。

しかも、メイドに恋い焦がれているのは彼ひとりだけではなく、騎士の同僚もメイドを狙っていることが判明した。三角関係おいしいです！　と思っていたら、メイドに会うために頻繁《ひんぱん》に洗濯場を訪れる騎士に、メイドの同僚が恋をしてしまったらしく、まさかまさかの四角関係が展開されていた。

肝心《かんじん》のメイドはどっちが好きなのだろうと、ティファンヌがよくよく観察していたら、御年六十越えの執事長と頰を染めて会話しているメイドを目撃してしまった。ここにきて、メイドの爺専《じじせん》発覚か！　とティファンヌの想像力が大いに刺激されている。

ちなみに、そのことを護衛のヒルベルトに熱く語ってみても、全てティファンヌの妄想で片づけられてしまう。

ヒルベルトは相変わらずティファンヌ専属の護衛を続けている。ヒルベルト以上に頭の回転が速くて腕も立つ騎士というのはいないらしい。そんな逸材を自分なんかにつける必要はないと何度となくレアンドロに話したのだが、だったらメラニーをティファンヌに戻すと言い出してくるのでもう何も言わないことにした。

ヒルベルトからは、いまでも時折殺意を感じる。でもそれを受け止めるのが、ティファンヌの役目だと思っている。ただ、目の前のことに夢中になるあまり、時々ヒルベルトを置いてきぼりにしてしまうのは大目に見てほしい。決して、空想を馬鹿にされた腹いせ、ではない。

ティファンヌはビオレッタの部屋に来ていた。城を徘徊した後、ビオレッタの部屋でお茶を飲むというのも日課となっている。

お茶をするのはティファンヌとビオレッタの二人だけではない。ディアナとメラニーを含めた四人が中心で、たまにディアナの友達だというアンナや、ビオレッタの実家で暮らしているというアメリアが加わることもあった。

今日も四人で丸いテーブルを囲み、お茶を飲みながらお茶菓子であるケーキを味わい、とりとめのないことを話す。

「あぁ、やっぱりティファンヌさんは癒《いや》し系ですね。ティファンヌさんがいればメラニーさんがディアナさんを見ても暴走しない」

「王女様の前ではお預けだと決まっているんです。それはそれで……ふふっ」

「メラニー。我慢ができていなくてよ」

「申し訳ありません、お姉さま。私はいい子に我慢します」

いつもと変わらない三人を見つめながら、黙々とケーキを食べていたティファンヌは、フォークを置いてお茶を口にする。黙っている割にケーキがあまり進んでいないことに、ディアナが気づいた。

「あなたがケーキを残すなんて珍しいわね、ティファ。もしかして、体調が悪いの？」

「体調が悪い、というわけでもないんですけど、何となく……」

「幸せ太りを気にしてダイエットですか、王女様」

「違うわ！　なんていうか胃が重いというか……」

「風邪《かぜ》の引きはじめとか？　最近は肌寒くなってきましたものね」

「そうなんでしょうか。最近は眠くて眠くて、あくびが……ふあぁ」

言っている傍からあくびをこぼしたティファンヌは、目元ににじむ涙をぬぐう。そんな彼女の様子を見ていたディアナが、ある可能性に気付く。

「ティファ、あなたもしかして……」


新しい幸せがティファンヌに訪れるまで、あと少し。

レアンドロ・クアドラードは、第十四代アレサンドリ神王エミディオ・ディ・アレサンドリの時代に騎士団長を務めた。

剣の腕や頭が切れる優秀な騎士であったことはもちろんのこと、なかなかの美丈夫《びじょうふ》であったと様々な文献に記されている。

また、レアンドロは愛妻家としても非常に有名で、残っている肖像画のほとんどが夫人と供に描かれている。七人の子宝に恵まれたところからも、夫婦の仲睦《なかむつ》まじさが伝わる。

余談だが、妻であるティファンヌ・クアドラードがヴォワールの王女だったという説は現在否定されている。

根拠としては、ティファンヌがレアンドロと結婚した時期に始まったとされる、ヴォワールへの食糧支援は長く続かなかったこと。ヴォワールとの戦中もティファンヌはレアンドロの傍にいたこと。結婚した当時、レアンドロの地位は一国の王女を娶《めと》れるほど高くなかったことなどがあげられるが、それよりも何よりも、二人の仲が非常に睦まじかったことから、政略結婚ではなく恋愛結婚だったのではないかと思われる。

よって、ティファンヌはアレサンドリの女性であると結論が出された。

おまけ　メラニーのお姉さまは最強です！

メラニーは上機嫌だった。

リディアーヌの命により、ずっと傍に寄り添ってきたティファンヌがこの度《たび》晴れてレアンドロと結婚し、彼女が彼女らしくいられる場所を手に入れた。すなわち、リディアーヌの命を見事完遂《かんすい》したということだ。

しかも七年前のヴォワールの政変で亡くなったと思っていたリディアーヌが、戦火を逃れてアレサンドリでディアナとして生きていた。もう戻ることはできないと思っていた主のもとへ、メラニーは奇跡的に戻ることができたのである。

これからは公爵夫人となったディアナとその息子であるフェリクスの世話をしながら、ディアナにあんなことやそんなことやこんなことをしてもらえる。その光景を思い浮かべるだけでメラニーの口元が緩《ゆる》んだ。

そんな幸せの絶頂にいたメラニーを、谷底へ突き落とす命令が下された。

「メラニー、あなたに光の巫女《みこ》様の専属護衛になってもらいたいの」

メラニーがディアナのもとへ戻って数日。エミディオの執務室へディアナとともに呼び出され、そこでエミディオとベネディクトを交えた四人でお茶を飲んだかと思えば、隣に腰掛けるディアナに告げられたのだ。

「お断りします。やっとお姉さまのもとへ戻ることができたのです。もう離れたくありません！」

メラニーがいつになく強い声で拒絶すると、ディアナは焦るでもなく「あらあら」と眉《まゆ》を下げた。

「大丈夫よ、四六時中巫女様の傍に張り付いているんじゃなくて、夜はわたくしたちの屋敷へ戻ってこられるわ。そんな可愛《かわい》らしいことを言ってわたくしを困らせないでちょうだいな」

「お姉さま……！　ですが、十一年ですよ？　それほど長い時間離れ離れで、しかもそのうち七年間はお姉さまが死んだものと思って私は生きてきたのです。離れるなんて、できません！」

駄々《だだ》っ子のようにいやいやと頭を振るメラニーを、ディアナは冷たく見つめた。

「……メラニー。わたくしのお願いがきけないというの？」

若干声音《じゃっかんこわね》が低くなっただけなのに、まるで見えない何かに真上から押しつぶされているかのような圧迫感のある声でたしなめられ、メラニーはぎくりと身体《からだ》を強張《こわば》らせる。自分を冷ややかに見つめるディアナをメラニーは複雑に揺れる瞳で見つめ、ディアナの膝に泣きついた。

「嫌っ……嫌です、お姉さま！」

膝に縋りつくメラニーを、ディアナは無情にも突き飛ばした。床に倒れ込んだメラニーが身を起こそうとついた手を、ディアナの華奢《きゃしゃ》な足が踏みつける。

「わたくしのお願いがきけないだなんて、なんて悪い子なのかしら」

「いいえ、お姉さま。メラニーはお姉さまの命令をきちんとやり遂げるいい子です！　王女様が幸せになるのを、きちんと見届けてまいりましたもの」

「そう……そうねえ。確かにその通りだわ」と納得して、ディアナはメラニーの手から足を退《の》ける。そしてメラニーのすぐ目の前に座り込み、彼女の顔を両手で包んだ。

「あなたがわたくしのお願いをきいてくれるいい子だと知っているわ。だからこそ、わたくしが忠誠を誓う光の巫女様の護衛を頼んだのよ」

「忠誠を、誓う？」と、メラニーは目を瞠《みは》る。

「どうしてですか？　お姉さまが忠誠を誓うだなんて、一体お二人の間になにが？」

「あのお方は光の巫女という役目だけでなく、王太子妃という地位に就くお方。わたくしは、大きな責務を背負う巫女様を手助けしたいの。そのために、あなたの力を貸してほしいのよ」

「私の力を……」

メラニーは頬《ほお》を紅潮させ、瞳をキラキラと輝かせる。そして、素早く身を起こして跪《ひざまず》くと、胸に手を当てて頭《こうべ》を垂れた。

「このメラニー、お姉さまが慈《いつく》しむ光の巫女様を、何者からも守って見せましょう！」

「あぁ、メラニー。いい子ね」

ディアナはメラニーの頭を優しくなでると、メラニーは恍惚《こうこつ》とした表情でディアナを見上げた。

「あの、お姉様。私がいい子にしていたら、昔のようにご褒美《ほうび》を下さいますか？」

「ええ、もちろん。何が欲しいの？」

「そうですね……私を踏みつけたり、突き飛ばしたり、殴《なぐ》ったり……それで最後は、頭をなでなでしてほしいです」

照れくさそうに視線をそらし、もじもじしながらメラニーは不穏な要望を伝える。

「まぁ、そんなことでいいの？　メラニーは七年たっても変わらないのね。それくらい、お安い御用よ」

ディアナは驚くどころかにこやかに承諾《しょうだく》していた。

うふふふ……と怪しく笑い合う二人の会話を、向かいのソファから聞いていた男二人がいた。

「……叔父上」

エミディオが、隣に腰掛けるベネディクトへと身を寄せて小声でささやく。

「ディアナさんにあのような一面があることは、ご存じだったのですか？」

エミディオたちの目の前には、どこか艶《あで》やかでなんとも背徳的な空気が流れていた。エミディオはその空気にむせ返りそうなのに、ベネディクトはいつもと変わらないのんびりとした笑顔でこう言った。

「以前、ひとりで城を彷徨《さまよ》うメラニーを保護するとき、ディアナと約束したんだ。どんな彼女を見ようとも、私はディアナを拒絶しないって。あれは相手に合わせて演じているだけで、彼女の本質は変わっていない。気にしないよ」

普段のディアナからは想像もできない姿を前にしても、穏やかに受け止めてしまうベネディクトを見て、エミディオは己の器《うつわ》の小ささをちょっぴり実感したのだった。

こうして、メラニーはビオレッタの専属護衛を引き受けたのだが、それでことは収まらなかった。ヴォワールからやってきたばかりの人間に大切な光の巫女を任せられないと、一部の貴族が反発したのだ。

貴族の反発は、想定の範囲内だった。少し前に、ディアナはビオレッタ誘拐《ゆうかい》の嫌疑がかけられていた。あれはヴォワールの間諜《かんちょう》を引き寄せるエサとしてエミディオが引き起こした事件であり、さらに、なるべく大事にならないようその後の騒動もすべて信用できる騎士や兵士を使って処理させた。しかし、人の口に戸は立てられぬというべきか、一部の貴族がかぎつけて騒ぎ出した。

そんな一部貴族を納得させるため、メラニーが光の巫女の専属護衛にふさわしいかどうか試験をすることにした。その様子を反対する貴族たちに見てもらい、判定してもらうのだ。

試験は、騎士棟の演習場で行われることになった。模擬《もぎ》戦も行える広い広場の中央に立つメラニーを、数人の騎士が取り囲んでいる。護衛を行うのだから、武に優れていないと話は始まらない。まずは騎士たちと手合わせをさせてその実力を測るのだ。

風に舞う砂煙とともに、メラニーの長いスカートがふわりと揺れる。風にもてあそばれて膨《ふく》らんだスカートが元の形を取り戻すと同時に、剣を構える騎士たちが一斉に襲い掛かった。

メラニーはエプロンの下から棍棒《こんぼう》を取り出し、襲い掛かる騎士たちの剣を舞うように避けてその背中や後頭部、首の後ろなどに棍棒を叩きつけていった。毎日厳しい訓練に耐え、極限まで肉体を鍛え上げているはずの騎士たちが、棍棒の一撃を食らっただけで動けなくなり、戦いは、あっけなく幕を閉じた。

これには貴族たちだけでなく、エミディオやレアンドロまでもが驚いた。レアンドロに至っては、一度手合わせしてみたいとこぼしていた。

光の巫女の護衛として、文句のつけようがない強さを持っていると証明できたわけだが、しかし、貴族は納得しなかった。メラニーが圧倒的に強すぎたのだ。

メラニーは、ティファンヌの侍女《じじょ》としてアレサンドリへやってきた。つまり、メラニーの主はティファンヌであるはずなのだが、ティファンヌがレアンドロと結婚してからというもの、メラニーは公爵家の屋敷へ入り浸《びた》っていると貴族たちは聞き及んでいる。侍女が主を放って勝手な行動をするなんて、ティファンヌがきちんとメラニーの手綱《たづな》を握れていないとしか思えない。そんな、抑止する方法のない強すぎる力など危険でしかなく、光の巫女の護衛を任せるなどと、到底容認できなかった。

エミディオはにやりと笑った。彼の思惑《おもわく》通りの反応が返ってきたからだ。

「お前たちの不安はもちろんだ。だから私も、対策を考えておいた」

そう前置きしてから、エミディオが演習場へ呼んだのはディアナだった。ベネディクトに連れられて現れたディアナは、エミディオや貴族へ見惚《みと》れるような淑女《しゅくじょ》の礼をしてから、メラニーのもとへと歩いていった。

「王太子殿下、何故、公爵夫人がここへ？」

「あのように護衛候補の前に立つなど、危険です。今すぐ下がらせてください」

困惑する貴族たちの言を、エミディオは「心配ない」の一言で一蹴《いっしゅう》する。エミディオの視線の先、メラニーの前に立ったディアナは、ベネディクトから愛用のモップを受け取っていた。役目を終えたベネディクトがエミディオたちのもとまで移動すると、ディアナは悠然《ゆうぜん》とモップを構える。同じように棍棒を構えたメラニーは、騎士と相対していた時には見せなかったぎらついた眼差《まなざ》しで、どこか空恐ろしさすら感じる笑みを浮かべていた。

ディアナとメラニーの戦いは、貴族たちの予想と反してディアナの圧勝だった。騎士たちを翻弄《ほんろう》したメラニーを、ディアナはそれ以上の素早さで弄《もてあそ》んでいた。メラニーの攻撃をひらりとかわしては一撃を加え、また向かってくる彼女をディアナはあざ笑うかのように返り討《う》ちにしてしまう。

何度も何度も繰り返され、次第に砂にまみれていくメラニーと、汗ひとつかいていないディアナ。まるで赤子の手をひねるかのようにたやすく、ディアナはメラニーを打ち返した。

そしてついに、メラニーの棍棒が宙を舞い、メラニー自身も地に伏せてしまう。起き上がろうともがくメラニーの背中を、ディアナが容赦《ようしゃ》なく踏みつけた。

「がっかりだわ、メラニー。この間手合わせをしたときは疲れていて動きが鈍いのだと思っていたけれど、あなた、腕が落ちたのではなくて？」

「お姉さま、それは誤解です！　私は一日だって鍛練を怠《おこた》ったことなどございません」

「お黙りなさい」と言ってディアナが踏みつける足に体重をのせれば、メラニーは「ああぁんっ」といやになまめかしい悲鳴を上げた。

「でも、そのモップはおかしいです。どうしてそんなに一撃が重いんですか？」

「このモップの柄《え》にはいざというときに振るえるよう金属の芯が入っているのよ。メイドのたしなみです」

「そんな馬鹿なっ！」と叫んだメラニーは、踏みつける足にさらなる体重が乗ったことで強制的に黙らされていた。

「なんということでしょう。これでは光の巫女様を託すことなんてできない。そこで倒れている騎士たち！　あなたたちもよ！」

ディアナはモップの柄で倒れ伏したままの騎士たちを指し、糾弾《きゅうだん》する。目の前で見せつけられたディアナの脅威《きょうい》的な強さに愕然《がくぜん》としていた騎士たちは、ディアナの喝《かつ》で我に返った。

「ひとり相手に複数で立ち向かっておきながら、傷ひとつ負わせられずに行動不能に陥《おちい》るだなんて……それで国が守れると思っているのですか!?」

いまだ起き上がれない騎士たちは、うずくまったまま悔しそうに地面に爪を食い込ませる。その手に白く華奢な手が重ねられ、驚いた騎士が顔を上げれば、ディアナが膝をついて騎士を見つめていた。

ディアナは騎士の手を取って彼が起き上がるのを助けると、他の騎士のもとへも赴《おもむ》き、ひとりひとり起き上がるのを手伝って回った。

「あぁっ……お姉さま自らそのようなことを――」

「お黙りなさい」

「あぁんっ」

ディアナは座り込んだ騎士たちの前にメラニーを踏みつけながら立ち、ゆっくりと話し出した。

「よいですか、アレサンドリ神国はとても豊かな国です。ゆえに様々な国から常に狙われています。今は外交努力によって平和は保たれていますが、いつどこで戦《いくさ》が起きようとおかしくはないのです。国を、人を、文化を守るのは、あなたたち騎士なのですよ。それをゆめゆめ忘れてはなりません！」

子供のいたずらを叱《しか》る母のような温かさと、ひれ伏してしまいたくなるような威厳をたたえて、ディアナは騎士を諭《さと》す。最初はただ座り込んで話を聞いていた騎士たちが、いつの間にか跪《ひざまず》いて真剣に耳を傾けていた。

「……それでは、甘ったれたあなたたちの根性をたたきなおすとしましょう。覚悟なさい」

ディアナがモップを優雅に振り回しながら宣言すると、騎士たちは地面に転がっていた剣を拾い、「よろしくお願いします！」と声をそろえた。騎士たちの輪に、同じように棍棒を拾ってきたメラニーも加わっており、メラニーも騎士たちも心酔《しんすい》しきった表情でディアナを見つめていた。

傍観《ぼうかん》を決め込んでいたエミディオが、もしやこのままディアナによる特別訓練が始まってしまうのか、と思ったその時。

「ディアナ様、そろそろフェリクス様のお迎えに向かう時間です」

ディアナに仕える侍女が、演習場へやってきた。今にもモップを振るわんとしていたディアナは、フェリクスと聞いて、あっさりとモップを下ろしてしまう。

「まぁ、もうそんな時間なのね。では、後のことはメラニーに任せましょう。それではみなさん、ごきげんよう」

淑《しと》やかに別れを告げたディアナは、エミディオたちへ律儀《りちぎ》に淑女の礼をしてから、ベネディクトと連れだって演習場を出て行ってしまった。

遠ざかっていくディアナの背中をそれはそれは名残惜《なごりお》しそうに見つめる騎士たちの前に、メラニーが立ちはだかる。

「さあ、みなさん。次にお姉さまとお会いするときに見違えたと言ってもらえるよう、鍛練に励《はげ》みましょう。お姉さまは公正な方ですから、頑張りを認めたときは褒《ほ》めてくださいます」

褒めてもらえると聞き、騎士たちの瞳が輝く。

「よく頑張ったわね、とか、言って下さるんですか?」

「もちろんです。母のような温かな笑顔つきでしょう」

「俺、俺っ……頭なでなでとか、されてみたい!」

「私がお姉さまの命令を完遂《かんすい》した時に、いつもなでてもらっています。不可能ではありません」

騎士たちは魅惑のご褒美《ほうび》を前に「うおおおおおおおおっ!」と雄たけびを上げ、メラニーの手ほどきの下、気迫のこもった訓練が始まった。

暑苦しい男たちの情熱を遠い目で見つめながら、集まった貴族たちは思う。

ディアナがいる限り、アレサンドリは安泰《あんたい》だと。

「で、お前たちの判定はどうなった？　メラニーはビオレッタの専属護衛にふさわしいか？」

エミディオに促《うなが》されて貴族たちが出した結論は、満場一致で「ふさわしい」だった。

後日、騎士団の中に『ディアナ様に褒められ隊』なるものが結成されたことを、ベネディクトは知らない。

おまけ ✥ レアンドロの嗜好――好みって、人それぞれですよね。

レアンドロという人物を一言で表すならば、実直、堅物《かたぶつ》、頭でっかち、潔白、このあたりがエミディオの頭に浮かぶ。敬虔《けいけん》な光の神の信者で、光の巫女《みこ》であるビオレッタを尊崇《そんすう》するあまり彼の中で神格化してしまっているあたりにも、レアンドロの固さというか、素直さというか、思い込みの激しさみたいなものがうかがえる。

とにかく、バカがつくほど真面目《まじめ》なのだ。

そんな忠義心に篤《あつ》いレアンドロだからこそ、エミディオはヴォワールの王女との婚姻相手に抜擢《ばってき》した。彼ならどれほど色恋の手練手管《てれんてくだ》に長《た》けた美女が現れようと、惑わされることなく冷静に対処できると確信していたからだ。

しかし、やってきたティファンヌはごく平凡な少女だった。時折突飛《とっぴ》な行動はするけれども、奸計《かんけい》を巡らせるような女傑《じょけつ》ではない。

ヴォワールの人間とは思えない弱々しい体、王族らしからん希薄な存在感、印象に残らない顔。ちょこまかと動き回ってはいるが、エミディオにとってティファンヌはおおむね無害な存在だった。

そんな何の変哲も害も影響もない少女に、どうやらあのレアンドロが恋をしたらしい。

「レアンドロさんは、いつティファンヌさんに恋をしたんですか？」

エミディオの執務室へレアンドロがやってくるなり、ビオレッタが問いかけた。エミディオの執務室には、ソファに並んで座るエミディオとビオレッタ、ローテーブルを挟んで向かいにディアナ、そしてビオレッタの護衛となったメラニーがお茶を淹《い》れている。

ローテーブルの脇に立ったレアンドロは、首を傾《かし》げた。

「火急の用があると伺《うかが》っていたのですが……もしやこの質問のためだけに私をここへ？」

「だって、どれだけみんなで話し合っても結論が出ないんですもん！　もう気になって……いったいいつから好きだったんですか？　結構早い時期から好意を寄せていましたよね」

「少なくとも、ビオレッタの警護方法を見直したいと言い出したころには、心奪われていただろう」

その当時を思い出して、エミディオは視線が遠くなった。

レアンドロは突然、護衛たちが精神的にたるんでいるからビオレッタの美しさに惑わされるのだと言い出し、部下を厳しく訓練し始めたかと思えば、護衛が誘拐犯《ゆうかいはん》になったとき用の護衛という自分の役目を彼らに任せてしまった。その結果、二人の護衛はそれぞれ誘拐犯に変貌《へんぼう》し、ビオレッタの人間不信を再発させかけ、ビオレッタがひきこもりに戻らないよう、しばらくエミディオが彼女の傍についていなくてはならなかった。迷惑この上ない。

四六時中自分にべったりなビオレッタは最高にかわいらしく、エミディオが役得だと思っていたのは秘密である。

「王女様を自分の屋敷へ移動させた時点で好意を寄せていたと思います。王女様本人は、自分を城から追い出したかっただけだと思っていたようですが」

メラニーの話を聞いて、レアンドロは「そんなはずがありません」と心外だと言わんばかりに強く否定した。

「私は本当に、ティファと一緒の時間を増やしたかったのです。ティファが待つ屋敷へ帰る……考えるだけで、心が弾《はず》みます」

その様子を思い浮かべたのだろう。レアンドロは胸に手を当ててとろりと笑い、それを見たビオレッタが「出た！　必殺砂糖要らず！」と言って身震いした。

「分からないな。私が知る限り、王女殿下とレアンドロはほとんど接点がなかったはずだ。二人きりで会える時間なんて、私とビオレッタがお茶をしている時間だけだったろう」

「残る可能性は二人きりで出かけた遠乗りです。あの日は予定の時刻より随分《ずいぶん》遅くに戻っていらして、私は何かあったのかと心配で、ヒルベルトに城門まで連れて行ってもらいました」

「あれは……私が想定していたよりもティファの体力が少なくて、無理をさせないよう、休憩を何度も挟みながら帰っただけです」

「特別な何かが起こったわけではないと？」とエミディオが意外そうに問いかければ、レアンドロは「はい」とうなずいた。

「……絶対に、ろくでもない理由ですわ」

ふいに、ずっと黙り込んでいたディアナがつぶやく。ディアナの中で、レアンドロは要注意人物と認定されているらしい。それは正しい評価であるとエミディオは思う。レアンドロはまじめで素直な人間だが、『善人』ではない。『悪人』でもないというのが、複雑なところだ。

レアンドロとしても、ディアナにいまいち信用されていないと気づいたのだろう。「別に、これといった特別なことがあったわけではありませんよ」と前置きをしてから、ティファンヌに恋をした瞬間を話し始めた。

驚いたことに、レアンドロがティファンヌに恋をしたのは、彼女がアレサンドリへやってきたその日らしい。アレサンドリ神国王との謁見《えっけん》を終えたティファンヌに改めて自己紹介を行ったとき、レアンドロは、自分はビオレッタの騎士だから、ビオレッタとティファンヌが危機に陥ったらビオレッタを優先する、と宣言したそうだ。

「あぁ……言っていましたね、そんなこと」

「えぇっ!?　信じられない！　私、完全にお邪魔虫じゃないですか」

　頭を抱えるビオレッタの隣で、レアンドロなら言いそうだな、とエミディオは納得していた。向かいのソファに腰掛けるディアナも同じ意見なのだろう。表情を変えることなく「それで、ティファはなんと?」と続きを促した。

「分かり切ったことですが、ティファは私の言葉に傷つき、衝撃を受けていました。しばらく呆然《ぼうぜん》としたかと思うと、涙をこらえるように顔をゆがめて唇を噛《か》み、うつむいて『分かりました』と震える声で答えたのです」

　レアンドロは握りしめた拳《こぶし》を胸に当て、沈痛な面《おも》持ちで視線を伏せる。当時はまだ警戒心でいっぱいだったとはいえ、さすがに後悔しているのかとエミディオが意外に思ったその時。

「その健気《けなげ》に胸の痛みをこらえる姿に、私は一目惚《ひとめぼ》れしたのです」

　レアンドロは頬《ほお》を染め、はにかむように微笑《ほほえ》みながら物騒なことを言い切った。

　エミディオとディアナがやっぱりなと呆《あき》れ、メラニーが眉間《みけん》に手を当てながら押し黙る中、ビオレッタだけが青い顔で「ティファンヌさん逃げてえぇぇぇぇぇぇぇぇっ！」と届かぬ叫びをあげたのだった。

あとがき

こんにちは。秋杜《あきと》フユでございます。この度《たび》は、『妄想王女と清廉の騎士　それはナシです、王女様』を手に取ってくださり、誠にありがとうございます。

ビオレッタの護衛騎士、レアンドロのお話です。お相手は隣国ヴォワールの末王女。覗《のぞ》きが趣味で、常に頭の中は妄想でいっぱい、という一風変わった王女様です。

前々作『ひきこもり姫と腹黒王子』と前作『ひきこもり神官と潔癖メイド』とまとめて『ひきこもり』シリーズと名付けられました。これも読者様のおかげです。ありがとうございます。

シリーズと銘打《めいう》っておりますが、それぞれの作品は独立しておりますので、どの本から読んでも楽しめるかと思います。

ちなみに、『ひきこもり姫と腹黒王子』はビオレッタとエミディオが、『ひきこもり神官と潔癖メイド』はベネディクトとディアナが主役となっております。もし今作を読んで、脇カップルに興味を持ったお方がいらっしゃいましたら、ぜひこの二作品もお手に取ってくださいませ。

今作は『ひきこもり姫と腹黒王子』からレギュラー出演しているレアンドロのお話なのですが、『ひきこもり姫と腹黒王子』のスピンオフを書こうという話が出たとき（つまりは『ひきこもり神官と潔癖メイド』を書き始める前ですね）に、担当様から「レアンドロの話を書きませんか」と提案されました。ですが残念なことに、当時の私はレアンドロが恋する相手が思い浮かばず、代わりにベネディクトを提案しました。ベネディクトが恋する相手はすぐに思い浮かんだんですよ。ぽやっとした男性だったので、しっかりした女性が似合うだろうと。

私の中で、レアンドロは頭が固すぎて融通《ゆうずう》が利《き》かない男性でした。そんな彼が、ビオレッタという全てを捧げて守る主を得ておきながら、恋愛するのだろうか。下手《へた》をすれば一生ひとり身を貫きそうだな、と思っておりました。

しかし、ベネディクトのお話を書いているとき、お相手のディアナがメイドだったことから覗きばっかりしているキャラクターが思い浮かび、このキャラクターであれば、レアンドロがどれだけビオレッタを優先しようとも、自分には趣味の覗きがあるからと前向きに生きてくれるだろうな、と思い、そうしてティファンヌが生まれました。ティファンヌとレアンドロが政略結婚となったのは、上からの命令でもない限り、レアンドロは誰とも結婚しないだろうな、と思ったからです。

幸運なことに、もう一作書いてもいいよ、と担当様が仰《おつしや》られましたので、今度こそレアンドロを主役に！　と意気込んでプロットを提出しました。その反面、いくつストップがかかるかなぁと身構えておりました。というのも、このお話には変態しか出てこないんですよ。とくにメラニー。彼女は絶対にアウトだと思っておりました。ところがどっこい、許可が出たんです。コバルト文庫の懐《ふところ》の広さには毎度驚かされます。しかもメラニーの変態っぷりを巻末のおまけで補完させていただけるなんて……おまけを提案してくださいました担当様、ありがとうございます。

あと、ティファンヌの妄想に関してもストップがかかるかな、と心配しておりました。だって……ねぇ。妄想でちらっととはいえ、そこだけジャンルが変わってますし。まぁ、取り越し苦労だったんですけどね。

ヒロインであるティファンヌの妄想は、当初はもっと盛る予定でした。それこそセリフ付きでワンシーンがっつり、みたいな感じです。が、実際にやってみるとヒーローであるレアンドロの出番が妄想部分にしかない、という事態に至りまして。ダメじゃん！　と自分で自分に突っ込みを入れて軌道修正しました。

確かに、何か自分の生きがいを持った人がレアンドロにはお似合いだと思っておりました。ですがティファンヌの場合、趣味にいそしみすぎてレアンドロを視界に入れないため妄想は甘いけど現実は甘くないという状態で、むしろレアンドロの方が糖分をどんどん供給し、最後はお砂糖の騎士と担当様に呼ばれていました。書いてみないと、分からないものですね。

さてさて、今作『妄想王女と清廉の騎士』（お砂糖の騎士じゃないよ）は、四月一日の発売なのですが、同日四月一日に、集英社ＷｅｂマガジンＣｏｂａｌｔが始動しておりまして、そちらで『ひきこもり』シリーズの短編が掲載されております。

題名は、『ヒミツの巫女とこじらせシスコン』です。『ひきこもり姫と腹黒王子』の第二章に出てきましたヒミツの巫女ことアメリアと、ビオレッタの二人の兄のお話です。あまのじゃく娘がルビーニ家の人々にデレるようになるまで、を書いております。そちらも合わせてお楽しみいただけると幸いです。

また、今作とは関係ないお知らせというか、お詫びなのですが、前作『ひきこもり神官と潔癖メイド』についておりました購入者特典が、一部の携帯電話ではお読みいただけないことが判明しました。その場合、ＱＲコードから読み込んだアドレスをパソコンへ移していただければ、問題なく読むことができるそうです。少々手間はかかりますが、お楽しみくださいませ。

担当様、お互いに手探り状態での執筆でしたが、丁寧《ていねい》な指導をありがとうございます。私自身に答えを導き出させる指導方法はとても勉強になります。同じような指摘を受けずにすむよう、これからも精進してまいりますのでよろしくお願いします。

イラストを担当してくださいました、サカノ景子《けいこ》様。お忙しい身でありながら引き受けてくださり、ありがとうございます。今回も表紙絵のお辞儀《じぎ》する二人をはじめ、サカノさんの描くイラストはどれも神がかっていて、私の脳内のサカノさん像には後光がさしております。本当にありがとうございました。

そして最後に、この本を手に取ってくださいました、読者の皆様、心より感謝申し上げます。お手紙をくださいました方、大変励《はげ》みになります。ありがとうございます。こうやって手に取ってくださいます読者様がいらっしゃるからこそ、『ひきこもり』シリーズとなりました。すべて読者様のおかげです。どれだけ感謝の言葉を口にしても足りません。本当に、本当にありがとうございます。

シリーズとしては三作目ですが、単品でも読んでいただける作品を目指しました。できないことばかり目に付く少女が、自分にできることで精いっぱいあがくお話です。楽しんでいただけましたら、幸いです。

ではでは、次の作品でお目にかかれますことを、お祈り申し上げております。

秋杜フユ

※この作品はフィクションです。実在の人物・団体・事件などにはいっさい関係ありません。

この作品のご感想をお寄せください。
秋杜フユ先生へのお手紙のあて先
〒101－8050　東京都千代田区一ツ橋2－5－10
集英社コバルト編集部　気付
秋杜フユ先生

あきと・ふゆ

２月28日生まれ。魚座。O型。三重県出身、在住。『幻領主の鳥籠』で2013年度ノベル大賞受賞。趣味はドライブ。運転するのもしてもらうのも大好きで、どちらにせよ大声で歌いまくる迷惑な人。カラオケ行きたい。最近コンビニの挽きたてコーヒーにはまり、立ち寄るたびに飲んでいる。

妄想王女と清廉の騎士

それはナシです、王女様

COBALT-SERIES

2016年４月10日　第１刷発行
2016年６月30日　第２刷発行

★定価はカバーに表示してあります

著　者　秋　杜　フ　ユ
発行者　鈴　木　晴　彦
発行所　株式会社　集　英　社
〒101－8050
東京都千代田区一ツ橋２―５―10
電話　【編集部】03-3230-6268
【読者係】03-3230-6080
【販売部】03-3230-6393（書店専用）

印刷所　株 式 会 社 美 松 堂
中央精版印刷株式会社

ISBN978-4-08-601896-8　C0193

重版続々!!
ひきこもり姫と腹黒王子
vsヒミツの巫女と目の上のたんこぶ
突然「光の巫女」に選ばれたビオレッタ。彼女をサポートするのは腹黒王子・エミディオで!?
秋杜フユ
イラスト／サカノ景子
【電子書籍版も配信中　詳しくはこちら →http://ebooks.shueisha.co.jp/cobalt/】
ひきこもり神官と潔癖メイド
王弟殿下は花嫁をお探しです
王弟ベネディクトは今日も城内を謎の徘徊中。メイドのディアナは彼に常々振り回されていて…？
同じ世界観でおくる、涙と笑いのラブコメディ♥
コバルト文庫
好評発売中

新作

コバルト文庫
好評発売中
重版続々!!
同じ世界観でおくる、中華後宮ミステリー!
後宮詞華伝
笑わぬ花嫁の筆は謎を語りき
書の才能を継母に奪われてしまった、淑葉《しゅくよう》。皇兄の夕遼《せきりょう》に嫁ぐことになり…?
はるおかりの
イラスト/由利子
【電子書籍版も配信中　詳しくはこちら
→http://ebooks.shueisha.co.jp/cobalt/】
後宮饗華伝
包丁愛づる花嫁の謎多き食譜《レシピ》
料理人の鈴霞《りんか》は、身代わりとして皇太子・圭鷹《けいよう》の正妃になって…?

好評発売中 コバルト文庫
闇の魔物に
対抗できるのは、
稀代の銀灯師ミレナと
……その夫!?
おしどり夫婦の愛は王宮を救…う？
公爵夫人は
銀灯師
Gintoshi
白川紺子
イラスト／凪かすみ
国王の娘として生まれるが、
ある事情から王宮を追放され
たミレナ。ある日、若き公爵の
妻となった彼女のもとに、王
宮から使いがやって来て…。